INSIDE THE BLUES

Power Trio Blues

GUITAR

By

Dave Rubin

Blues Guitar Styles

from the West Side of Chicago to Texas

and Beyond

Cover photos by Blues Archives of Mississippi (Luther Allison),
Ray Flerlage (Magic Sam), Peter Amft (Hound Dog Taylor), John Rockwood (Freddie King), Frank Driggs (T-Bone Walker).

Printed in Japan

ATN, inc.

本書**ブルース・ギター／パワー・トリオ・ブルース**は、ベースとドラムを伴ったトリオにおけるエレクトリック・ギターの演奏スタイルを採り上げます。完全な、そしてエキサイティングなブルースのためのブギー、シャッフル、そしてスロー・ブルースのリズム、またリック、ダブル・ストップ、コード、そしてベース・パターンが紹介されています。*Smokin' Power Trio* による演奏をおさめたCDは、解説のみならず、一緒にジャムをするためのものです。

シカゴとテキサスのブルース・マンたちの音楽スタイルが、彼らと彼らの愛器の貴重な写真とともに紹介されています。

もくじ

感謝のことば

本書の執筆にあたり、大変貴重な助言をくださった*Dick Shurman*，*Billy Boy Arnold*，*Jody Williams*，*Kevin Vey*，そして*Matt Umanov Guitars*のみなさんに感謝の意を表します。

著者について

*Dave Rubin*はニューヨークで活躍するブルース・ギタリスト、教師、そしてライターです。彼は*Johnny Copeland*，*Chuck Berry*，*Screamin' Jay Hawkins*，*James Brown's JBs*，*The Drifters*，*Marvelettes*，*Coasters*と共演しました。また、フィラデルフィアのBlues Alley、ニューヨークのNew York Nowなどのテレビ番組にも出演しました。

彼はHal Leonard Corporationのブルース・コンサルトであり、インサイド・ブルース・シリーズのInside the Blues:1943-1983、アート・オブ・シャッフル（ATN刊)、現在進行中のGuitar Schoolブックの著者でもあります。Hal Leonardでの仕事とともに、彼はGuitar Player MagazineとNotes on Callにも定期的に寄稿しています。その他に、Living Blues，Blues Access，Guitar One，Guitar Shop，Guitar School，Guitar Worldなどの雑誌にもライターとして登場しました。

はじめに

パワー・トリオ・ブルース・ギター
シカゴのウエスト・サイドからテキサス、そしてその先へ

Early in the morning, 'bout the break of day	早朝、夜が明ける頃
That's when my baby went away	彼女は去っていった
Fightin' and feudin' won't do no good	もういくらケンカしても仕方ないじゃないか
Come back baby, I wish you would	僕のもとへ戻ってきておくれ、ベイビー

"I Wish You Would" (Vee-Jay 146)

*Billy Boy Arnold*がシカゴでこの歌を歌った1955年、彼は、自分がエレクトリックなカントリー・スタイルから都会的に洗練されたスタイルへとシカゴ・ブルースが発展していくとはほとんど気づいていませんでした。*Earl Phillips*がBo Diddly beatをドラムをガンガン叩くのと一緒に、ギタリストの*Jody Williams*はワンコードできた単純はフレイズをブンブンかき鳴らしていました。*Jody Williams*のプレイに、*Milton Rector*はフェンダー・プレシジョン・ベースで対抗しました(このセッションは、エレクトリック・ベースをフィーチュアした最初のシカゴ・ブルースのレコーディングとして広く知られています)。モダンと呼ばれた1955年製のシボレー・ベル・エアー車がデビューしたのと同じ年、第二次世界大戦の後も尾を引いていた大恐慌の後遺症時代が農業社会でも、終わりを告げました。若者たちの自由をロックンロールで表現した*Chuck Berry*や、1955年のアルバムROUND MIDNIGHTでポスト・ビバップであるクール・ジャズの出現を世に告げた*Miles Davis*といった異質のアーティストたちは、より多様性に富み、都会的な社会へと移行する時代に対応していました。

シカゴでは、*Little Walter*がメジャー・アーティストとしての力を衰退させていく一方で、*B.B. King*の台頭がエレクトリック・ブルースを、さらに小編成で激しいコンボへと発展させ、それは後にウエスト・サイド・ブルースと呼ばれるようになりました。ギター、エレクトリック・ベース、ドラムというリズム・セクションを中心としたこれらのトリオやクァルテットが、今日のブルースやロックでも生きつづけているドライヴの効いたギター・サウンドを確立したのでした。*Magic Sam*、*Otis Rush*、*Buddy Guy*、*Freddie King*、またスタジオ・ミュージシャンの*Syl Johnson*、*Jody Williams*、*Earl Hooker*、同様に*Bobby King*、*Johnny Hi-Fi Zachary*といった無名のギタリストたちもリードとリズムを融合させてスタイルでプレイしました。そしてスウィング時代にホーン・セクションが果たしていた役割に対抗するかのように、彼らはコードとリフで伴奏し、鋭く染み込むようなソロでアレンジにメリハリをつけました。また、より大音量でパーカッシヴなエレクトリック・ベースの出現で、ウエスト・サイド・サウンドの巨匠、*Magic Sam*のような名人ギタリスト兼シンガーはトリオによって生み出される音楽的、経済的効果を確立させていきました。

1950年、*Muddy Waters*がLouisiana Bluesをひっさげて、*Little Walter*をブルース・シーンに引っぱり出した時、アンプを使わない彼のハープは、来るべき音楽的革命を示唆していました。そして1952年、She Moves Meにおいて、*Walter*のハーモニカはサザン・フライド・サクソホーンのように歌い、達人的なインストゥルメンタル・ブルース・スターが誕生しました。誰もが彼の実力を認め、同年*Walter*は自分自身のレコーディングを行います。彼は*Muddy*と*Jimmy Rogers*のギター、*Elgin Evans*のドラムとともに、新時代的なJukeとCan't Hold Out Much Longを録音しました。そしてレコードのヒットとともに、*Walter*は*Muddy*のもとを去ろうとしていました。*Junior Wells*が代わりのハーモニカ・プレイヤーとして起用される一方、*Walter*は*Dave and Louis Myers*の一流のギター・コンビやドラマー*Fred Below*といった、*Junior*の元サイド・マンたちで自分の周囲を固めます。*Walter*のヒット曲にあやかり、彼らは*Jukes*と呼ばれました。

1952年から1957年まで、Walterの影響で、シカゴではハーモニカ・グループが流行しました。しかし、Chessレコードの*Chuck Berry*や*Bo Diddley*といったロックン・ロール・スターたちの台頭とともに、1955年頃から、DJやレコード会社はよりポップな素材を探し始めていました。そして*Muddy Waters*と*Little Walter*を中心としたサウス・サイドのブルース・マンたちは、よいブルース・ソングが減っていくことを危惧し始めます。また同時に、Chessレコードにおける*Willie Dixon*の作曲家およびアーティストの指導者として、それまでの立場が危うい時期に入ろうとしていました。

Photo: Jody Willams and Dick Shurman

*大戦後シカゴでもっとも影響力をもったリード・ギタリスト、'53〜'55年のゴールドトップ・レスポール(P-90ピック・アップ)を弾く、***もっと認知されるべき*Jody Williams***(中央)。*Wishes You Would* を歌う *Billy Boy Arnold* (左)、ギルド・ブルースバードをまさに弾こうとするする *Mac Thompson* (右)。*

新しい、若い世代のリスナーたちが、先人たちが残したカントリー音楽のルーツに興味を示さなくなっていくのを察知し、音楽業界は知らず知らずにウエスト・サイド・サウンド肩入れするようになりました。1956年から1959年まで、*Otis Rush*、*Magic Sam*、*Freddie King*、*Buddy Guy* といった、近隣に住んでいた血気盛んな若者たちが、ウエスト・サイドの活気のあるクラブ・シーンで活動するようになりました。*B.B. King* の流暢なシングル・ストリングのソロに深く影響され、よりコンテンポラリーでジャジーなサウンドを求め、彼らはハーモニカ・グループによって大切にされていたそれまでのカントリー・ブルースの伝統を捨て始めます。

B.B.King のスピード感のあるインプロヴィゼイションにもっとも最初に夢中になったシカゴ・ブルース・ギタリストは、当時過小評価されていた *Jody Williams* でしょう。彼の最初の楽器はハーモニカで、それは彼が** The Harmonicats* をこよなく愛していたことでも分かります。1941年にシカゴへ移り住み、1950年頃、*Jody* はサウス・サイドで *Bo Diddley* と出会い、二人は友人となったのでした。

Jody のハープ、*Roosevelt Jackson* のウォッシュタブ・ベースで、彼らはストリートやハウス・パーティーで演奏し、自らを *Bo Diddley Washboard*（洗濯板）*Trio* と名づけたのでした（*Jody* が参加する以前、グループは *Hipsters* や、*Langley Avenue Jive Cats* として知られていました）。*Bo* が *Jody* にギターでベース・ラインをプレイしてバック・アップ（バッキング）するよう頼むと、彼は喜んでその新しい楽器を手にとりました。*Bo* の教え方が簡単すぎて満足できなかった *Jody* は、DuSable High School の音楽の先生について勉強するようになります。しかし次第に学問的なアプローチに我慢できなくなり、彼はクラブに行き、演奏する現場に身を浸す決心をしました。

彼は *Otis Spann*、ハーモニカ・プレイヤーの *Henry Strong*、*Louis Jacobs*（*Little Walter* のおじ）、*Morris Pejoe*、そしてドラマーの *Frank Kirkland* というメンバーのバンドに参加しました。これらの野望に燃えたミュージシャンたちと同じアパートへ引っ越し、彼は家や酒場で定期的にジャム・セッションをするようになったのでした。のみ込みの早い *Jody* はジャズとブルースを吸収し、その急成長したテクニックで *B.B.King* の流暢なリックも難なくコピーすることができました。彼は特に好きな曲として、*B.B.King* の曲の中で、*3O'Clock in the Morning* と *Blind Love* の２曲をあげています。

彼のたぐい希な才能が注目されないはずもなく、1954年、*Jody* は *Howlin' Wolf* のグループにバンド・リーダーとして招かれます。1955年に *Willie Johnson* がミシシッピーから北へやって来てバンドに参加するまで、若々しい *Hubert Sumlin* のリズム・ギターとともに、*Jody* はリード・ギターをプレイしました。*Baby How Long* において、彼は活き活きとした *T-Bone Walker* や *Lowell Fulson* のようにプレイし、*Evil* では、彼のキング・サイズな弦（とても太い弦）のチョーキングが *Wolf* の大音量のヴォーカルをも凌ぐ勢いで演奏しました。さらに、Don't Mess with My Baby ではすばやく、そしてニュアンスの効いたタッチを見せ、シカゴの人々にとても新鮮な印象を与えました。

Jody は、1954年、*B.B.King* が、彼に気づかれないように、おそらく Forty-Four のレコーディングを立ち聞きをしていたことについて述べています。その時、*Jody* はまだ *Beale Street blues master*（*B.B. King*）に会ったことも見たこともありませんでした。休憩の間、Wolf が友人を紹介したいと *Jody* を呼びました。*Wolf* の言う大物が誰か判ると、*Jody* はその場から逃げ出したくなってしまいました。結局、彼は自分にできる最高の *B.B.King.* のイミテーションを弾きましたが、度量の大きなブルース・キングは気にもとめませんでした。それどころか彼（*B.B. King*）はバンドに飛び入りし、いくつかの未発表トラックの録音に参加してくれたのでした。

Jody は *Wolf* とともに２年間活動した後、ツアーに出ます。彼は *Wolf* と活動していた時のように、Chess や Vee-Jay、その他のインディーズ・レーベルのセッションを続けるための時間をやりくりしました。そして彼はこの上なく多才なブルース、ジャズ・ギタリストとして、*Charles Brown*、*Buddy Morrow and Lucky Millinder orchestras*、*Bill Haley*、*Roy Hamilton*、*Big Joe Turner*、*Drifters*、*Billy Stewart* 等とツアーし、レコーディングをしました。さらに彼は *Muddy Waters*、*Otis Rush*（彼は Cobra の Groaning The Blues と If You Were Mine でプレイしています）、*Sonny Boy*、*Williamson*、*Bo Diddley*、*J.T. Brown* 等とともに、彼は精力的にプレイしました。

1955年から1962年の間に、*Jody* はよくできたヴォーカルやインストゥルメンタル曲を Blue Lake、Argo、Herald レーベルに提供する作曲家として少し有名になりました。しかし、*Micky and Sylvia* の大ヒット Love Is Strange のために *Micky Baker* が *Jody* のリックを盗ん問題などあって、ミュージック・ビジネス界にいい加減さにうんざりしていた彼は、70年代、自らのギターを置き、プロとしての演奏活動を辞めてしまいます。

* the Harmonicats ：*Jerry Murad*（lead），*Al Fiore*（chording），*Don Les*（bass）というメンバーで結成されたハーモニカによるトリオ。当時のハーモニカ・グループとしてもっとも人気が高く、1947年の Peg O'My Heart が大ヒットした。

Photo: Ray Flerlage

甘いサウンドを奏でるエピフォン·リヴィエラをプレイする、親密な時間を分かち合う、比類ないギタリスト **Otis Rush**。彼の記念碑的な Cobra のレコーディングはすべてストラトで録られています。しかし彼独特の音色は、彼がエピフォンやギブソンをやさしく弾いた時に開花しました。

サウス・サイドの黒人たちが、すでに過密状態であったウエスト・サイドを含めた他のエリアへ徐々に押し寄せていく中、黒人たちの新しい音楽は、すでにオーディエンスに受け入れられていました。彼らの環境の重苦しさは曲に緊張と悲観な反逆精神を与え、それはしばしば、とりつかれたようなマイナー・キーのブルース・フォームに反映されました。

1956年、*Eli Toscano*は、最初のWest Sideレーベルである ABCOレコードをスタートさせます。*Toscano*は流行を視野に入れつつ、*Walter*のようにハープをプレイする*Louis Myers*に、*the Aces*をバックバンドとしてつけ、*Just Whaling*を発表します。そして*Arbee Stidham*と*Morris Pejoe*による、そこそこのセールスを記録したいくつかのシングルがそれに続きました。しかしその年の中頃、(Chessレコードをやめたばかりの)*Willie Dixon*が若くて強烈な*Otis Rush*を*Toscano*に紹介し、彼の目に止まります。*Rush*の記念すべきI Can't Quit You, Babyは、*Toscano*が新たに設立したCobraレコードのファースト・レコーディングとして、1956年の終わりにブルース系ラジオ局に衝撃を与えます。この曲はR&Bチャートのトップ10入りを果たし、それは、新しいスタイルへ向かって、新たなスタイルへの第一歩を踏み出すことを意味しました。1956年から1958年まで、Cobraは*Rush*、*Magic Sam*、*Buddy Guy*を擁し、彼らは皆、*B.B.*から始まったシングル・ストリングによるプレイとゴスペルにルーツをもつヴォーカル、というスタイルを踏襲していました。

*Otis*はその衝撃的なデビューの後、Cobraのためにすばらしいブルース・クラッシックとなる名曲を次々に発表しました。それらは、My Love Will Never Die、Groaning the Blues、Three Times a Fool、All Your Love(I MIss Loving)、そして何かを予言するかのようなDouble Troubleといった曲で、いつもの*Otis*の鋭いイントロに続いて、*Ike Turner*のワーミー・バー(トレモロ・バー)を使ったリフが入ってきたのでした。しかし*Otis*のキャリアの中で不運だったのは、1959年の*Toscano*が殺害され、Cobraが倒産したことです。その結果、それまでの芸術的な成功も彼を支えてはくれなかったことです。その後*Otis*は1970年代初めまであまりパッとしませんでした。しかし彼が再び注目されたるようになった時、そのすばらしいヴィブラート、滑走するようなベンド、息を呑むほどドラマティックなフレイジングは、彼の悲痛なヴォーカルとともに健在でした。

歴史的に、*Otis*がライヴ・パフォーマンスにおいて最初にエレクトリック・ベーシストを使ったと信じられています。*Willie Dixon*はCobraセッションでアップライトのアコースティック・ベースをプレイしましたが、*Willie D.Warren*はシカゴで初めてフェンダー・プレシジョン・ベースでライヴ演奏をする名誉を授かります。それ以前は、彼はギターの低い方の4本の弦でベースをプレイしていました。

たとえ*Otis*がブルースにおける、もっともエキサイティングでクリエイティヴなソロイストのひとりだとしても、ギターを逆さまに使う(*Albert King*のように)彼のアプローチが彼のリズム・ワークを制限していることも心に留めておくべきでしょう。Cobraの当時から、彼は常に4人、またはそれ以上のミュージシャンからなるグループを率いていました。この点において、Cobraのレコーディングでハーモニカとサックスを使っていたように、彼はサウス・サイドからウエスト・サイド・サウンドへの変わりめを担った人物と考えられるかもしれません。ごく短い期間Chessレコードに在籍したの後、1960年までに、彼はすっかりハープを使わなくなってしまいました。

1957年、*Magic Sam*がマイナー・キーの傑作All Your LoveをWest Sideに収録したことで、彼はCobraの2代めのスターになりました。Everything Gonna Be AlrightやEasy Babyで分かるように、*Sam*の才能はまぎれもなくマイナー・キーのブルースで輝きました。彼は才能溢れるソングライターとはいえないものの、*Rush*のMy Love Will Never Die、*Slim Harpo*のScratch My Back、*Freddie King*のTore Downといった他人の素材を手がけるとすばらしい感性を発揮しました。彼自身ソウルフルなファルセットでうっとりさせるシンガーであり、多才で情熱的なギタリストとして、West Side以外で彼に並ぶ人はほとんどいませんでした。

Cobra時代、そして軍隊での辛い経験を経た後Delmarkレコードと契約を交わすまで、*Sam*のキャリアは低迷していました。彼は、1968年にアルバムWEST SIDE SOUL(文字どおりのタイトルとして)、続いて1969年にBLACK MAGICを発表します。All Your Loveのリメイクとそのヴァリエーションをプレイすることで自分のルーツを認めながらも、このモダン・ブルースのニュー・スタンダードには、ホットなブギー・ナンバーとヒップなR&Bも含まれていました。そのスタイルがどうであろうと、これにはすべて彼の震える、ゴスペルに影響されたヴォーカルと、強烈にヴィブラート、トレモロ、リヴァーブのかかったギターを含まれていたのです。

Photo: Ray Flerlage

すばらしい*Magic Sam*は、ストラトではなく、時どきよりスムースなサウンドがするミニ・ハンバッカーの付いたエピフォン・リヴィエラををプレイすることもありました。彼の高く洗練されたフィンガー・ピッキングは、どんなギターも、彼の熱いヴォーカルのただの引き立て役にしてしまいました。

*Sam*は1969年に32才の若さで亡くなりましたが、幸運なことに、彼はウエスト・サイド・ブルースの小さいけれど、非常に貴重な遺産を遺してくれました。この貴重な宝物の中に、2枚の決定的なライヴ・アルバムがあります。1968年のアルバムMAGIC TOUCHでは、彼の叔父であるハープ・プレイヤーの*Shakey Jake*とペアを組み、それにベースとドラムのサポートが加わりました。シカゴではこのタイプのクァルテットがスタンダードな編成になり、*Junior Wells*と*Buddy Guy*の長年にわたる音楽的な結びつきにも象徴されました。このローファイ(lo-fi)ながら、とてもエキサイティングなレコーディングで、*Sam*は彼の典型的な特徴として受け入れられることになるトレブル(高音)の効いたストラトによるリズム、リード・スタイルを披露しました。それに続く、異なる2つのクインテットとともに1963年と1964年のクリーヴランドのアレックス・クラブと、1969年のアン・アーバー・ブルース・フェスティバルでのライヴを収めたMAGIC SAM LIVEは、とにかく圧倒的なブルース・ギターを見せつけるものでした。非常に貴重なアン・アーバーのトラックでは、トリオでなめらかなコード・チェンジ、フィル、フィンガーピッキングによるソロを*Sam*を聴くことができます。

1958年、Cobraが子会社として設立したArtistic Recordは*Buddy Guy*と契約を交わします。*Otis Rush*もフィーチュアされているBATTLE OF THE BLUESの後、*Magic Sam*が彼をToscanoに紹介しました。まだ磨かれていないダイアモンドながら、Cobraの第3の宝石として*Buddy*は、Sit And Cry(*Jody Willams*のYou Mayをコピーしたソロを含んでいます)、This is the End、You Sure Can't Do(これは*Guitar Slim*のThe Things I Used to Doのあからさまな盗作です)を録音しました。彼の野生的な奔放さと*B.B.King*の影響がひとつになり、彼は1960年からChessのハウス・ギタリストとして活動しました。次々に行われたレコーディング・セッションでは、彼自身の名前ですばらしいレコードが数多く生まれました。Cobraを巣立っていった仲間たちのように、*Buddy*はフェンダー・ストラトキャスターのクリアなサウンドに惹かれ、とくにそのフロント・ピックアップの暖かいサウンドを好んでいました。

Chessではいつもピアノとホーンの伴奏を入れ、時にはセカンド・ギターやハープも加わっていたのに対し、60年代初頭の*Junior Wells*の入った*Buddy*のセッションでは、楽器編成が昔風なWest Sideのセットアップに逆戻りしていました。1965年のHOODOO MAN BLUESから始まり、*Buddy*は*Junior*の悲しげなハープと語りかけるようなヴォーカルのバックで、比較的シンプルなトリオ編成でプレイするようになります。2、3年後、*Junior*といくつかの見事なレコーディングを残した後、1967年に*Buddy*はVanguard Recordと契約します。そして続いて発表されたのは、大編成のリズム・セクションをフィーチュアした、*Buddy*のChess時代を彷彿とさせる特徴的な3枚のアルバムでした。*Buddy*と*Junior*は70年代から80年にかけて、定期的にライヴ活動を続け、その一方で散発的にレコーディングもこなしました。しかし、*1969*年の*Magic Sam*の死とともに最初のWest Side時代は終わりを告げました。

*Freddie King*はすごい実力をもったブルース・ギタリストでした。彼の仲間たち同様、彼は*B.B.King*のギター・プレイやヴォーカルに深く影響を受けていました。彼の実力はその巨体と同じようにスケールの大きなものであり、また非常に優れたテクニックを持っていたので、彼は難なくトリオで演奏することができました。彼の幅広いレパートリーはヴォーカルとインストルメンタル・ブルースのすばらしい取り合わせで溢れていました。テキサスからの戦後の移住者として、彼はシカゴに移り、そして再び自分のルーツに帰ってきます。*Freddie*は、ウエスト・サイドとモダン・テキサス・ブルースの間の、音楽的な橋渡しの役割を果たしたのです。

*Freddie*はサウス・サイド・ブルースの王様*Muddy Waters*に一刻も早く会う目的で、1952年にシカゴへやって来ました。この旅で彼は*Eddie Taylor*と*Jimmy Rodgers*と友だちになります。そして彼らにフラットピックの代わりにフィンガーピックを使うことを勧められます。彼は、トラディショナルなカントリー・ブルースにおけるベースライン、コード、リード・リックをプレイしやすくするために、プラスティックのサムピックと金属製のフィンガーピックに持ち替えました。

*Freddie*は1956年までに、El-Beeレーベルのためにそれほど目立たないシングルを制作し、ウエスト・サイドで演奏していました。彼は*Otis Rush*、*Magic Sam*、*Buddy Guy*らと遊んだり、セッションしていたものの、彼らとレコーディングする機会は与えられませんでした。シカゴ・ブルースの歴史の中で、Cobraに未発表のアルバムがいくつか存在するという噂が絶えませんでしたが、その真意のほどは今日まで明らかにはなっていません。

50年代中頃の彼の仲間たちのように、*Freddie*はいつもクウァルテットのフロントを務め、ハープ奏者と分担してソロをとっていました。その後、1959年までに、彼はトリオ編成にし、歌いながら、P-90ピックアップの付いたレス・ポールを嵐のように弾きながら歌っていました。しかし今ひとつオーディアンスの支持を得ることができませんでした。El-Beeの平凡なシングルと、確認はされていませんが、おそらく*Freddie*であろう*Howlin' Wolf*のWang Dang Doodle、Backdoor Man、Spoonfulのギター・プレイを除くと、彼のシカゴ滞在は失敗に終わりました。その後、1960年に幸運にも、ピアニストで、シンシナティ(オハイオ州)を拠点とするKing/Federalレーベルのタレント・スカウトでもある*Sonny Thompson*と契約を交わし、大ブレイクします。

Photo: John Rockwood

*ニスのはがれたサンバーストのストラトで20フレットを押さえる**Buddy Guy**。**Jimi Hendrix**は、奔放にフレットボードを駆け回る**Buddy**のプレイにもっとも顕著に触発されたギタリストです。*

ウエスト・サイドの友人たち、そして*Thompson*の繊細かつ厚いハーモニーによるバッキング(作曲も分担した)に支えられ、*Freddie*はその後6年間、すばらしい仕事仲間たちとともに表現豊かにレコードを録音しました。

これらのトラックでは、時どきサクソフォンとリズム・ギターが参加したものの、*Thompson*のピアノによる伴奏はたいへん慎ましく、*Freddie*のギターを傑出させていました。カントリー・スタイル、デルタ・ソウル、そして、スムースかつスウィングするテキサス・シャッフルが加えられ、洗練されたウエスト・サイド的なソロのユニークなコンビネーションがり、彼をもっとも注目されるトリオ・ギタリストにしました。

このスリリングなブレンドの好例は、1961年の彼の代表的なインストゥルメンタルHIDEAWAYです。ロッキン・ブギー・シャッフル・パターンにのって、*Hound Dog Talor*に触発された冒頭部分をプレイします。*Magic Sam*の影響によって洗練された彼は、*Robert Lockwood, Jr.*から盗んだ$E7^{(9)}$/Dの転回形を、大きく太いテキサス・ブルース・トーンで、カントリー・フィンガーピッキングによってプレイしたのでした。

1966年にKing/Fedralを去った後、*Freddie*のキャリアは少し沈み、10年後の1976年、彼の早すぎる死を迎える直前に再びピークに達します。彼は、人生の後半においてしばしば*B.B. King*のように歌い、ソロをとる一方、常に自分自身のスタイルでプレイするためのチョップ(技)を維持していました。このことは、彼の死後発表されたライヴ・レコーディングにおける、無伴奏のイントロやブレイクで証明されています。彼の最大の功績は、大きな貴重　ギター・インストゥルメンタルを遺したことであり、それらは今でもブルースとして非常に高い水準にあります。

ウエスト・サイダーの第二世代は、頑固にコンテンポラリー・ブルースにこだわっています。*Jimmy Dawkins*、*Luther Allison*、*Mighty Joe Young*、*Magic Slim*は、コンクリートのひび割れからたくましく生えている雑草のように、今でも誇りと信条のためにプレイしています。

*Jimmy Dawkins*は1969年、ひらめきとフィーリングに満ちたアルバムJIMMY "FAST FINGERS" DAWKINSで喝采を浴びます。このアルバムでは、彼の素早くかき鳴らすギターが、サックス、ピアノ、セカンド・ギターからなるタイトなグループをあおっていました。フェンダー・ジャガーからギブソンES-335に持ちかえた最近の彼のサウンドは、より太く、歪んでいます。しかし、そのメッセージは今も昔も何ら変わっていません。

*Luther Allison*は1957年、18才の時、すでにシカゴでプレイしていました。1959年、彼は*Freddie King*と出会い、その傘下に入ります。そして1960年に*Freddie*が街を離れた時、そのレギュラー・ギグ(定期的に行うギグ)とバンドを*Luther*が引き継ぎました。*Luther*は、カリスマ性をもつシンガーであり、力強いギタリストであるにもかかわらず、評論家が絶賛した程の成功を未だおさめてはいません。'60年代後期のDelmarkレーベル、'70年代前期のMotownレーベル、そして'80年代のヨーロッパのレーベルの録音したいくつかのレコーディングが、ここ10年間パリに住んでいる彼の存在をなんとか保ってきました。1994年のヒップなブルース・スタイルによる芸術性豊かな作品SOUL FIXIN' MANは、彼が再びアメリカ本国で受け入れられるチャンスとなるでしょう。

*Mighty Joe Young*は、実はウエスト・サイダーの第一世代より先に生まれました。しかし彼は、'50年代後期に*Howlin' Wolf*と*Billy Boy Arnold*、'60年代後期に*Koko Talor*、'70年代に*Otis Rush*というように、長い間サイド・マンとしての活動を続けてきました。*Joe*は1959年にトリオ、1964年にもうひとつのグループをもちましたが、70年代になってようやく、リーダーとしてギグやレコーディングを定期的に行うようになりました。彼は力強いシンガーで、ストレート・アヘッドなギタリストであるうえ、センスよく他のミュージシャンのバッキングをすることもできますし、また自分のバンドで会場がゆれるほど盛り上げることもできるのです。

温和でありながら革新的なシカゴ・ブルースマン、*Theo Roosevelt Hound Dog Taylor*はギター2本とドラムだけを使い、その陽気で楽しいパーティー・ブルースを追求しました。彼は、1957年から1975年に亡くなるまで、戦後のもっともうるさく、歪んだスライド・ギターを鳴り響かせたのでした。ひらめきと思いつきで生まれるグルーヴを好んだ*Hound Dog*は、I-IV-Vチェンジにベース・リフ、コードを使ったパターン、そしてそこに短いリード・ラインをがっちりとあてがいました。'70年代の*Hound Dog*の、ワイルドで騒々しいAlligatorレーベルにおけるレコーディングでは、セカンド・ギタリスト*Brewer Phillips*がベース・ライン、コード、そして時にはソロをケバケバしいテレキャスターでプレイしました。*Hound Dog*、*Brewer*、そしてドラマーの*Ted Harvey*による演奏は、もっとも生々しいファンキーなトリオ・ブルースの代表でした。

Photo: John Rockwood

ギブソン ES-335 のハイポジションをプレイする最高の **King**、*大男* **Freddie**。*彼は事実上、自分の楽器だけで完結できるワン・マン・バンドでした。*

Photo: Courtesy of Delmark Records

*フェンダー・ジャガーを手にリックを鳴り響かせる**Jimmy "Fast Finger" Dawkins**。このギターにかかわらず、サーフ・ミュージックはおそらく彼の考えからはほど遠かったに違いありません。*

Morris "Magic Slim" Holt もまた過小評価されているシカゴ・ブルース・ギタリストで、今でも激しく突きさすようなウエスト・サイド流でプレイし続けています。'50年代にしばしばベースでバックをつとめた*Magic Sam*に*Magic Slim*というニックネームをつけられた*Slim*は、*Hound Dog Taylor*とともに'60年代初め、サウス・サイドを拠点として活動していました。彼は、通常セカンド・ギタリストを使ってはいるものの、音数の少ないベース・パターンと端切れよいコードに*Slim*の切れ味鋭いフェンダー・ジャズマスターを大ざっぱにかぶせたサウンドは、まるで伝統的なトリオを思わせるものでした。GRAVEL ROAD、LIVE AT B.L.E.S.、RAW MAGICは偉大な、意味のあるブルース・ギター・アルバムです。

*Freddie King*は、他の誰よりもギターの名手がトリオを率いるというコンセプトを世間に認めさせました。'60年代前半に彼がテキサスに戻ったのをきっかけに、*Johnny Winter*、*Billy Gibbons*、*Stevie Ray Vaughan*らは刺激され、このテキサスの大砲に匹敵できるように自らの腕を磨くことに拍車をかけたことに疑う余地はありません。ウエスト・サイダーたちとは対照的に、*T-Bone*以来テキサスのギタリストたちは、セカンド・ギタリストより、むしろピアノ・プレイヤーとともに仕事をしていました。テキサスにはブルース・ピアノの長い伝統があり、酒場やダンスホールには必ずピアノが置いてありました。ブルース・ギタリストたちは、ピアノと演奏することで可能になる幅広い伴奏のおかげで、さらに自由になりえました。このことは、セカンド・リズム楽器やホーン・セクションがいなくても、その代わりにコード、ベース・ライン、リフを弾くことによって、ギタリストにとってある種のトレーニングとなっていました。

シカゴのブルース・トリオ登場の数年前、1954年に、*Lightnin' Hopkins*の驚くほどエレクトリックな側面がヒューストンのHeraldレーベルで録音されました。カントリー・ブルース、*John Lee Hooker*タイプのブギー、そして初期のロックン・ロールが見事にミックスされたこれらのレコーディングは、ベーシスト*Donald Cooks*とドラマー*Ben Turner*によるロカビリー・ビートにのった*Hopkins*の汚い、ハエが飛んでいるようなギターによって熱狂の果てへと連れていってくれます。40年経っても、彼らはまだ当時のパワーをもち続けています。Heraldでのトラックは、エレクトリック化が進むシカゴやその他の地域にやたらと迎合することなく、すべて*Hopkins*が1952年と1953年にMercuryとDeccaレーベルのためにつくったエレクトリック・カントリー・ブルースを自然に発展させたものといえるでしょう。*Connie Kroll*のドラムがリズム・セクションをけしかける一方、これらの中の2、3曲では、*Cooks*に合わせた*L.C.Williams*のタップ・ダンスがフィーチュアされています。本来アコースティック・ブルースをソロでプレイし続けてきた男にとって、これらのわくわくさせられるエレクトリックを導入した時期が、1959年と1960年に*Sam Charters*と*Chris Strachwitz*が彼を捜し出すまでの間、そのキャリアにおける商業的な頂点となりました。*Hopkins*は、その後60年代のブルース・リバイバル(復興)でほろ苦い再起を果たしました。

精神面では違うにしても、音楽的に*Lightnin' Hopkins*を引き継いだのは*Billy Gibbons*のトリオ、*ZZ Top*でした。70年代前半に彼らがテキサスを飛び出して以来、ワイルドな、火を噴くドライヴの効いたギターのブルース・ロックで、Lone Star State(テキサス州)の旗を元気にはためかせてきました。彼らの80年代後期のレコーディングは、単純なシンセのグルーヴ、そして激しい、漫画的なイメージによってMTV世代にもてはやされたものの、彼らの最初のレコーディングは本物のブルースそのものでした。RIO GRANDE MUD(1972)とTRES HOMBRES(1973)では、深いブルース・フィーリングとフレイジングとともに、正当派テキサス・トーンをにじみ出しています。

サイケデリックな*Jimi Hendrix*は、デルタ、そしてシカゴ・ブルース、さらにR&B、ソウル、ファンクといった彼のすべての音楽経験を、1967年に発表されたPURPLE HAZEでさらけ出しました。大音量のパワー・コード・ロックを、ギター、ベース、ドラムスという編成でプレイする*Cream*や*the Who*のようなイギリスのバンドのトリオ・コンセプトを、*Jimi*はひとつの芸術形態にまで高めました。進歩的なコード、ベース・ライン、フィル、そしてブルージーでメロディックなソロを自然にブレンドした彼のプレイは、基本的なバー・コードを中心とする大半のロック・トリオよりもずっと先を行っていました。

彼の影響を受けたギタリストとしてもっとも有名なのは*Stevie Ray Vaughan*ですが、フレットボードを駆け回る*Jimi*の凄いテクニックは、今でもブルース、ロック・ギタリストたちに影響を与え続けています。野球の3冠王のように、コード、フィル、ソロのすべてがうまくプレイできるようにチャレンジし続けることがアンサンブル・ギタリストの使命なのです。

West Side Blues

ウエストサイドブルース

Example 1は3音のマイナー7thコード・ヴォイシングと、*Otis Rush*と*Magic Sam*が好んで使ったマイナーのダブル・ストップを含んでいます。*Otis*のAll Your Love (I Miss Loving)と*Sam*のAll Your Loveでこれらの特徴が見られます。また*Sam*の曲では、下のIV (D)-V (E)チェンジで見られるようなブギー・パターンがよく使われています。

テキサスはさておき、ウエスト・サイドとサウス・サイドの違いは必ずしもはっきりしていません。それは単に、身近な地域の名を借りて、地理的、社会的、経済的、音楽的に区分した結果なのです。ミュージシャンたちが一番関心をもっているのは良い音楽をプレイすることであり、地方の縄張り争いではありません。したがって、あらゆる地域のブルース・ギタリストたちは、いろいろなスタイルを取り入れ、適応させていました。ここではデルタから生まれたブギー・ベース・ラインが使われています。これはサウス・サイドで特になじみがあるものの、明らかにウェスト・サイドとテキサスでも使われています。

2 Example 1

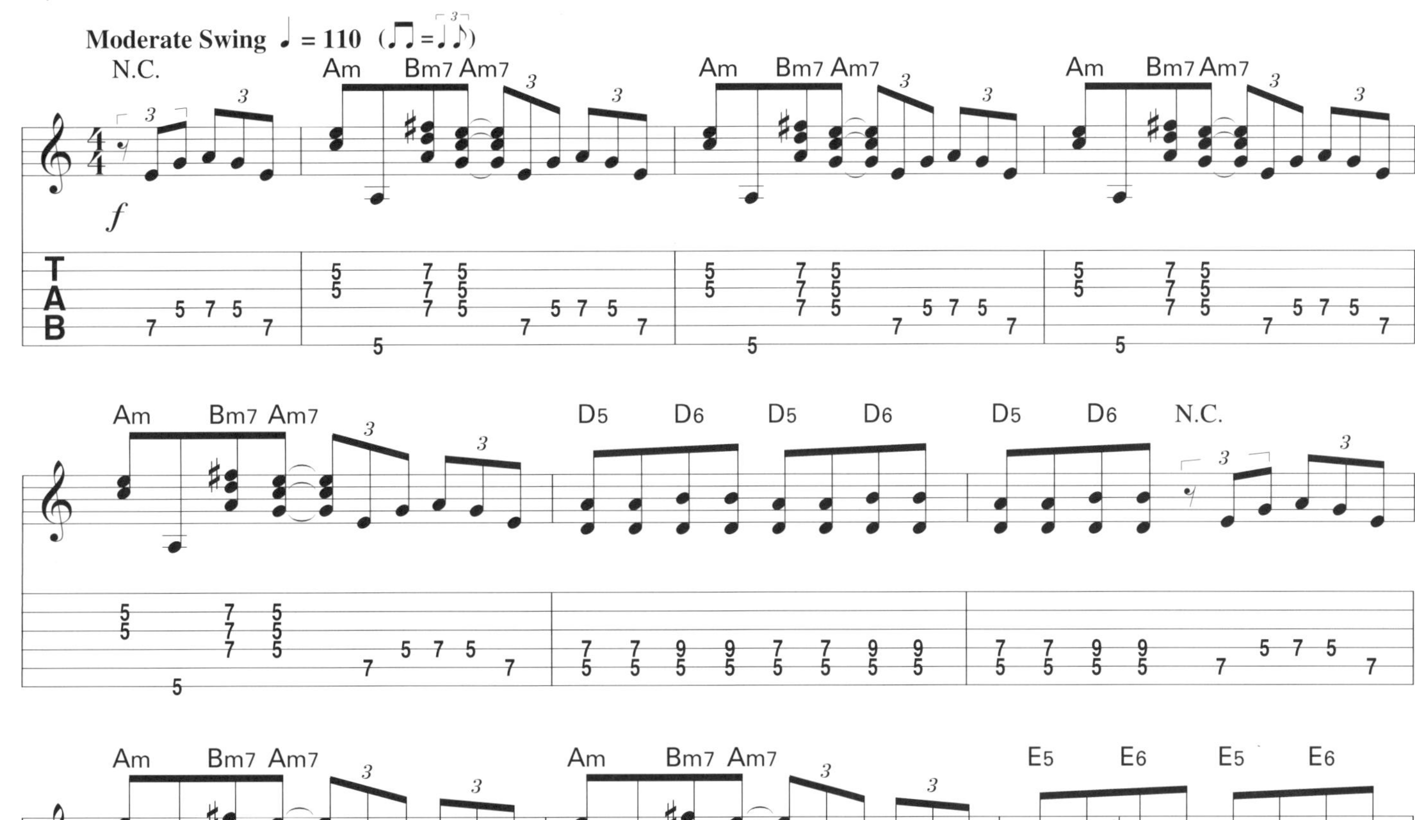

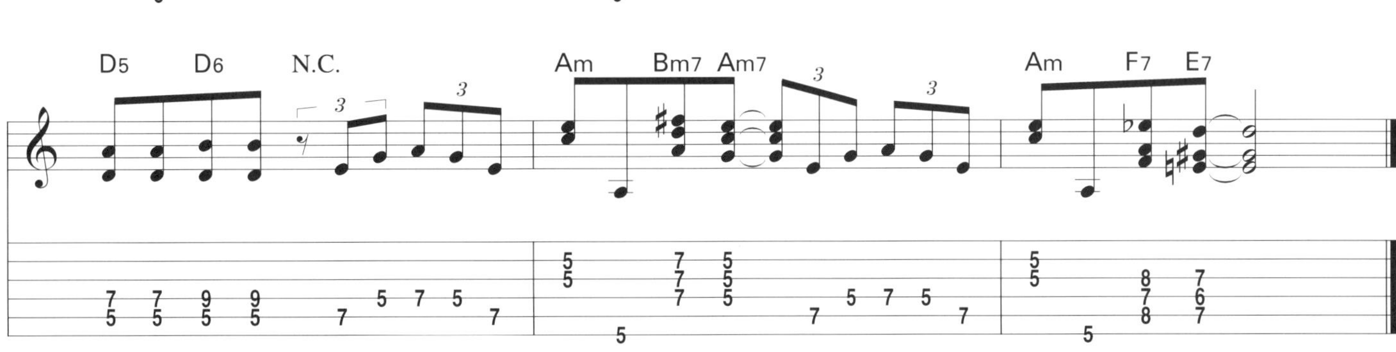

Photo: Blues Archives, University of Mississippi

ハムバッカー・ピックアップの付いたレスポール・ゴールドトップでうれしそうに楽器を構える *Freddie King* の子分 *Luther Allison*

Example 2の音数の少ないラインは、ウェスト・サイドの明らかな特徴のひとつであり、ブルース・フォームをもっともシンプルな形にしています。*B.B. King* の Rock Me, Baby のように、Iコードの上でルートと♭7thが強調され、メジャーのサウンドを明示する3連符がそれに続きます。各小節の頭のスウィング8分音符のベース・ノートがシャッフル・フィーリングを表しています。クールな(かっこいい)ブルースのフィーリングを出すために、これらを左手の親指を使ってプレイすることを勧めます。

5、6小節めのIVコードは、Iコードにおけるルート-♭7thと同様の動きをハーモナイズしたダブル・ストップとハンマリング・オンを使ったコード的ダブル・ストップを含んでいます。これはシカゴ・ブルースに共通のもので、やはりトーナリティ(調性)がメジャーであることを示唆しています。9小節めのVコードと10小節めのIVコードは、どちらも *T-Bone Walker* と、数えきれないほど多くいる彼の後継者たちが好んで使ったスライディング6-9(6thコードから9thコードへスライドする)パターンが使われています。

3 Example 2

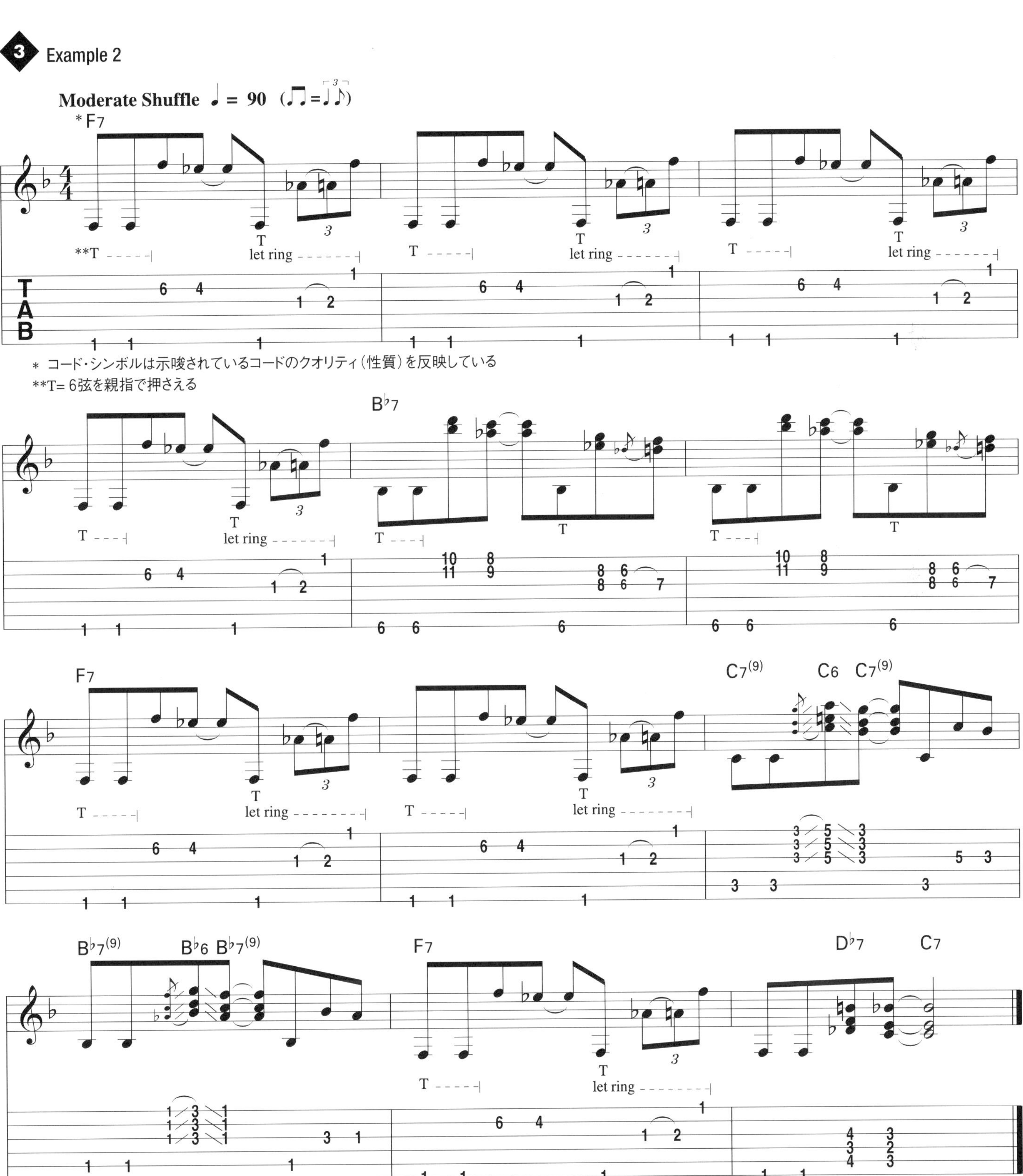

Photo: Ray Flerlage

めずらしいサンバーストのギブソン*ES-335*で、お得意の手つきでコードを押さえる**Mighty Joe Young**。

Example 3は基本的なマイナー・キーのスロー・ブルースです。Example 2と同様、これももっともシンプルなブルースのアレンジのひとつです。1、2、3弦を使ったマイナー・トライアドと4、5、6弦を使ったマイナー・ペンタトニック・ベース・ラインの対比によって、マイナー・ブルース特有のドラマティックなフィーリングが強調されています。ご覧のとおり、I-IV-Vコード・チェンジはマイナーであり、V7コードは12小節めの解決の時のみに使われています。12小節のマイナー・キー・プログレッションには、次の3タイプがあります。

タイプ1：Im、IV7、V7
タイプ2：Im、IVm、V7
タイプ3：Im、IVm、Vm（12小節めはV7）

Example 3は、タイプ3のヴァリエーションです。9小節めのVコードはマイナーですが、12小節めのターンアラウンドはV7コードに解決しています。メジャー、マイナー・キーどちらにおいても、ターンアラウンドがVコードに解決（12小節め）していたら、それは必ずドミナントです。ごくまれにメジャー（トライアド）の場合があっても、決してマイナーになることはありません。また、このプログレッションは、11小節めのIコードのフレイズを12小節めにリピートして終わることもできます。

4 Example 3

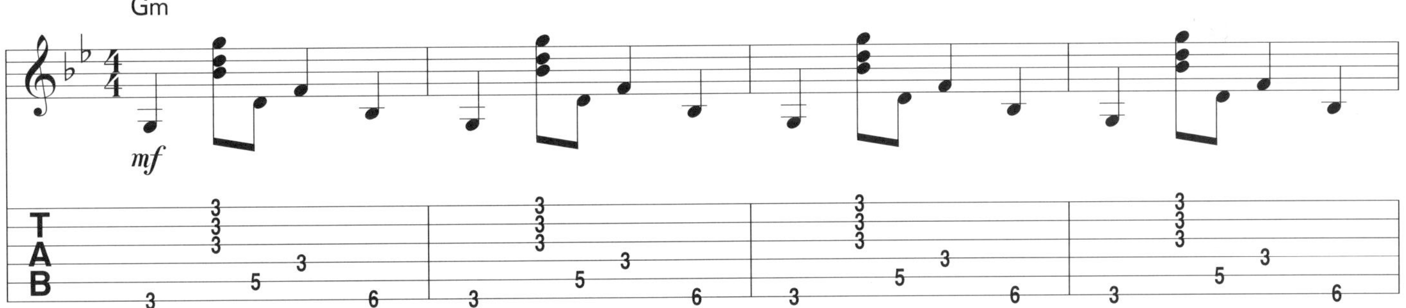

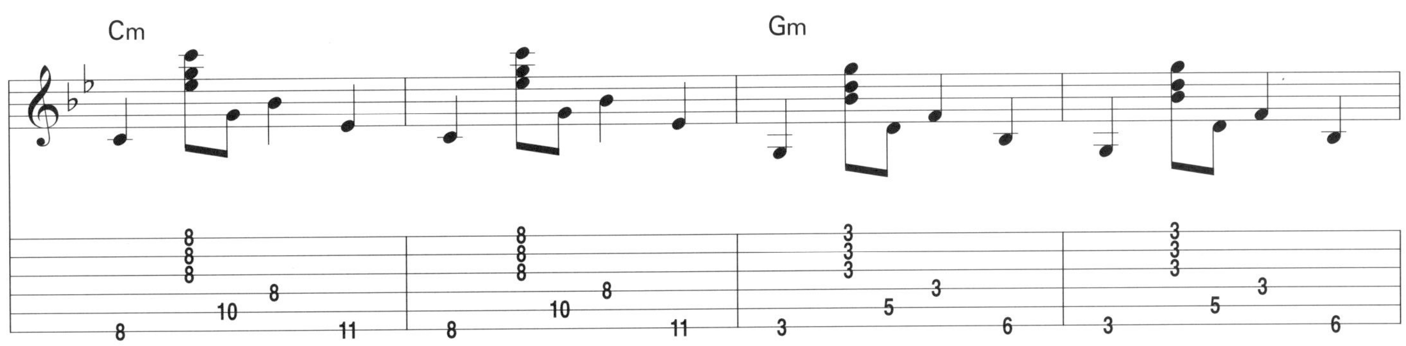

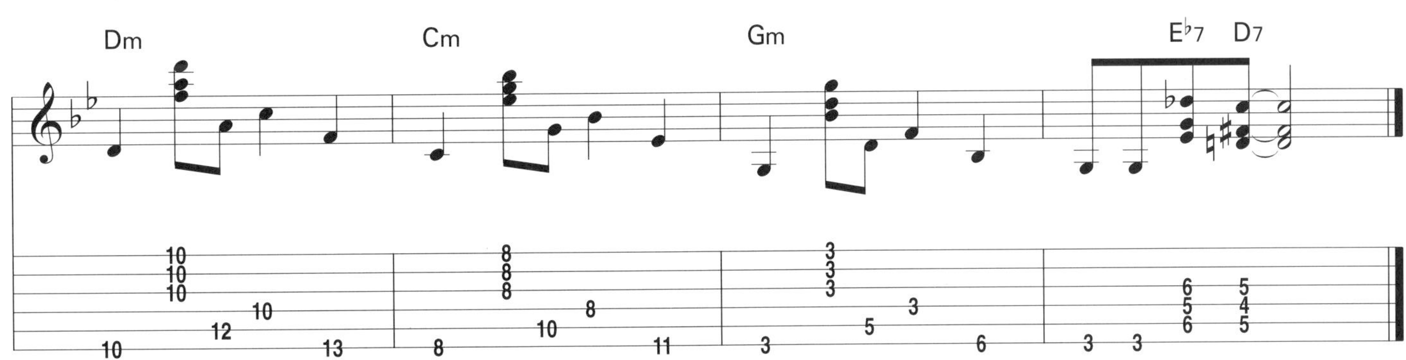

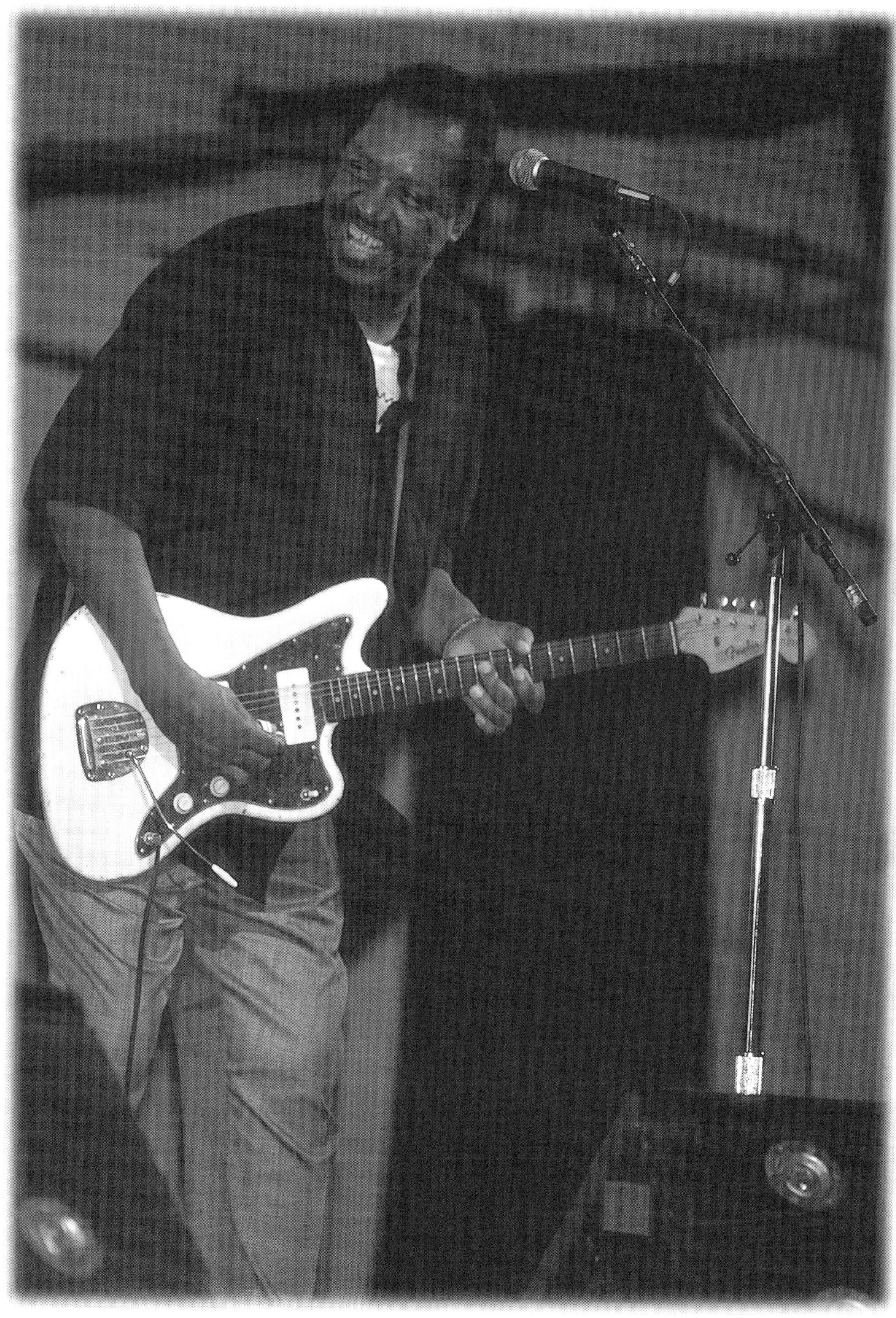

Photo: Gene Show/STAR FILE

Magic Slim は、フェンダー・ジャズマスターで重々しいサウンドを奏でる。彼の音色は、*Jim Hamm* にねたまれることはなかった。

Example 4 には、*B.B. King* の存在が見え隠れしています。彼自身はリードと伴奏のコードをミックスすることはほとんどありませんでしたが、*Magic Sam* と *Freddie King* は、ごく自然にこのスタイルでプレイしました。

スロー・ブルースをトリオで演奏する時、コード・チェンジに合わせてスケールを選択する必要があります。1、3、7 小節めから始まるフレイズはひっかけのような役割を果たし、A 音を延ばすことで。コードのサウンドを強固なものにしています。10 小節め（記譜上は 12 小節め）の下行ブルース・スケール・フレイズは、I コードのポイントとなる、キーの♭3rd、4th のスケール・ディグリーを強調しています。3 拍めの A♭ 音と 4 拍めの E♭ 音はパッシング・ノート（経過音）またはグレース・ノート（装飾音）であり、スムースな 8 分音符で 11 小節めの C♯（A コードの 3rd）に解決できるようにしています。そして、C♯ から上行するターンアラウンド・パターンが始まり、12 小節めできれいに曲をまとめています。

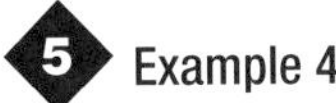

Example 4

*コード・シンボルは全体的なコードのクウォリティを反映している

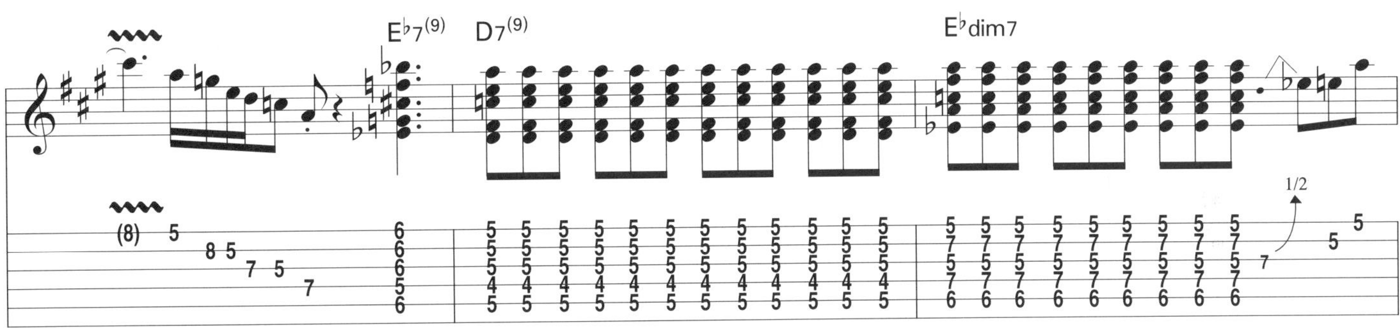

Photo: Peter Amft

'60年代の日本製ケント・ギターを弾く真のハウンド・ドッグ(猟犬)、**Mr. Talor**。この巨匠の十八番であるオーヴァードライヴの効いたブルースをプレイするために、こんなにたくさんのスイッチやノブは必要なかったのでした。

Example 5は、*Otis Rush*の刺激的なリックやダブル・ストップが飛び出す一方で、最少限のコード・チェンジでできています。Imコードをつなぎ止めているのはダイアド(5thと♭3rd)で、これはしばしばウェスト・サイド・マイナー・ブルースで見受けられます。1、2、3、4、7、7、11小節めは、この曲の調性を強く打ち出しています。そして4、10、11小節めの、ブルージーで不協和な♭5th(E♭)が、より刺激的なフレイヴァーとして使われていることに注目しましょう。また、5小節めのDmトライアドとブルース・スケール・リックにあるマイナー的なダブル・ストップのハーモニーにも注目しましょう。コード・チェンジを明示するのはルート音であり、実際、各小節の中でもっとも目立つように使われています。

Photo: Joseph Sia

ストラトを弾く*Jimi Hendrix*。トリオ・ブルース・ギタリストとして彼に並ぶ者はほとんどおらず、またトリオ・ロック・ギタリストとして、彼の右に出る者はひとりもいなかった。

'50年代のウェスト・サイダー、そしてテキサス・ブルージシャンたちは、ラテン・リズムに関心を抱いていました。Example 6はルンバ・ブルースを基本にした、*Ray Charles*のMARY ANNと同じものです。*Roscoe Gordon*のI JUST WANT A LITTLE BITの*Magic Sam*ヴァージョン、そして*Otis Rush*のALL YOUR LOVE (I MISS LOVING)もまた、シンコペートされたダンス・リズムの影響が反映されています。

本書のほとんどのExampleとは対照的に、I-IVコードのフレイズの長さが通常1小節のところ、2小節になっています。ダブル・ストップはダイアトニック長3度とブルージーな4度(コードの♭7thの上に♭3rd)であり、♭3rdを含ませることでブルース特有のメジャーとマイナーのあいまいさを出しています。9、10、11小節めのウォーキング・ベース・ラインはそれぞれG、F、Cミクソリディアン・モードでできています。

ラテン・リズムは、'50～'60年代に演奏されたシャッフルやスロー・ブルースに大きな影響を与えましたが、残念なことに、コンテンポラリー・ブルースにその活き活きとしたリズムの根跡はない。

Example 6

*コード・シンボルは全体的なコードのクウォリテイを反映している

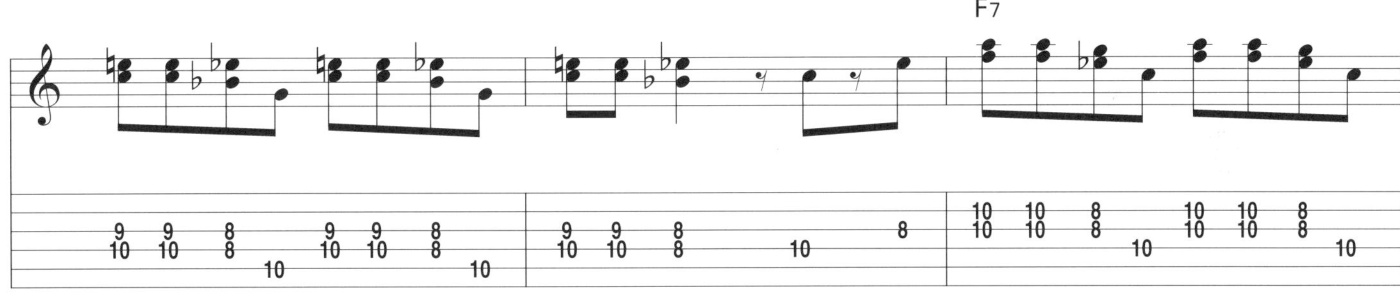

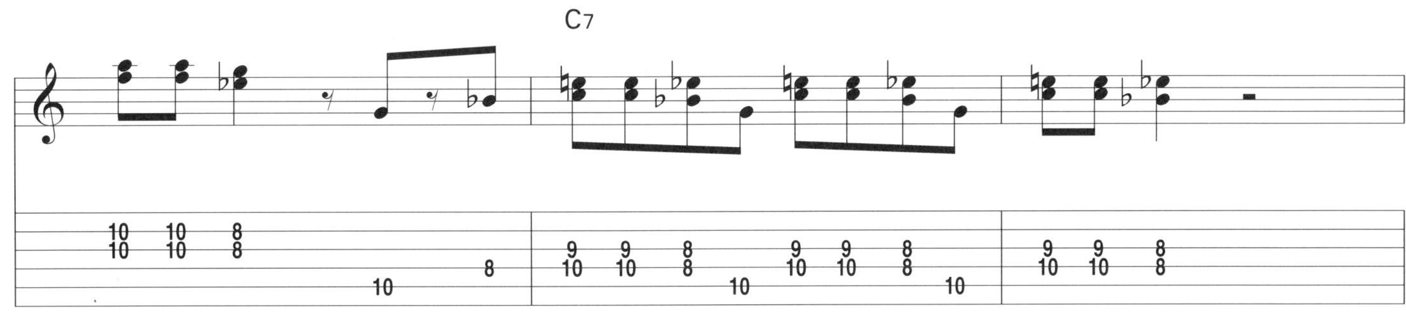

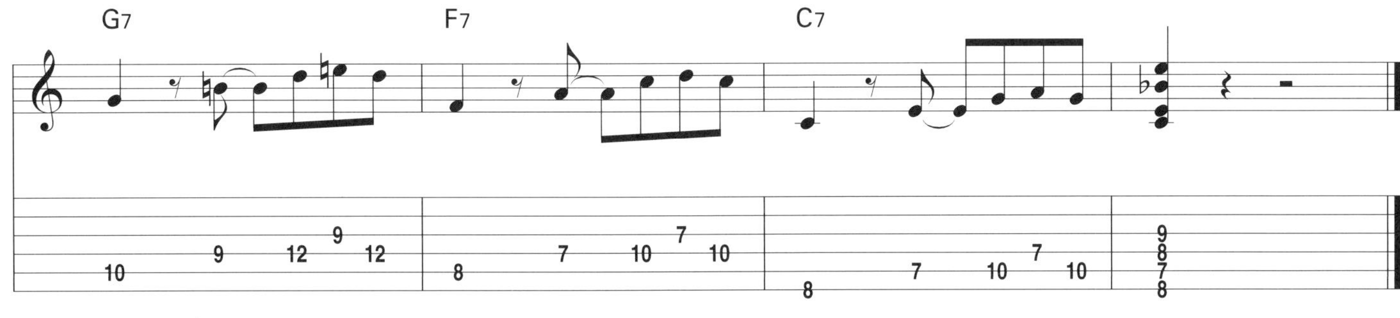

Photo: Courtesy of MCA RECORDS, INC.

不死鳥*Jimmy Rodgers*は、洗練された戦前のシカゴ・ブルースと戦後のシカゴ・ブルースを融合させました。この素敵な小さめのアーチトップはおそらくハーモニーもしくはリーガル製で、*Sears Silvertone*のトレードマークとして作られたものです。

South Side Blues

サウスサイドブルース

Muddy Waters、*Howlin' Wolf*他一流のプレイヤーたちによる初期のエレクトリック・シカゴ・ブルースは、いつも４人以上のメンバーで演奏され、複数のギター・パートはコード、ベース・ライン、リックを切れ目なくブレンドさせるように創られていました。特に*Muddy*は、自分のスライド・プレイをサポートするための、花形プレイヤーばかりを集めたギター・チームを従えていました。1948年から1956年まで、彼のセカンド・ギタリストには*Leroy Foster*、*Little Walter*、そして計り知れないほど偉大な*Jimmy Rogers*がいました。さらに、*Muddy*が手のけがで、1957年から1963年頃まで、事実上自己のレコーディングをやめていた時、彼のバンドにはファースト・ギターのチームが登場しました。1983年に彼が死まで、年代順で名前をあげると、*Pat Hare and Luther Tucker*、*Pee Wee Madison*と*Sammy Lawhorn*、*Johnny Winter*と*Bob Margolin*でした。加えて、レコーディングの際のスタジオ・ギタリストとして、*Earl Hooker*と*Buddy Guy*もいました。

Muddy、*Wolf*、そして*Elmore James*のキャリアの中で、入手可能な、財産ともいえるギター・パートから選りすぐってみることで、モダン・トリオ・ギタリストはエレクトリック・シカゴ・ブルースの歴史を掌握できるでしょう。

Example 1は、*Robert Johnson*のDust My Broomのひっかけリックの*Elmore James*風なヴァリエーションです。Iコードの1、3、7、11小節めでプレイされる形は、5thと♭7thのダブル・ストップです（オリジナルのスライド・リフでみられるトライアドの3rd、5th、ルートとは対局に）。IVコードの5小節めでは、同じダブル・ストップを２フレット上げて、キーDの3rd、5thにしています。

1、3、5、7小節めの３連符から次の１拍めに食い込むルート・ノートへの解決のため、2、4、6、8小節めの完全なブギー・パターンはウラから始まっていることに注意しましょう。これはささいなことですが、リズムとリードを交互に、どちらもプレイする際、スムースに流れるようにするために絶対に必要なことです。

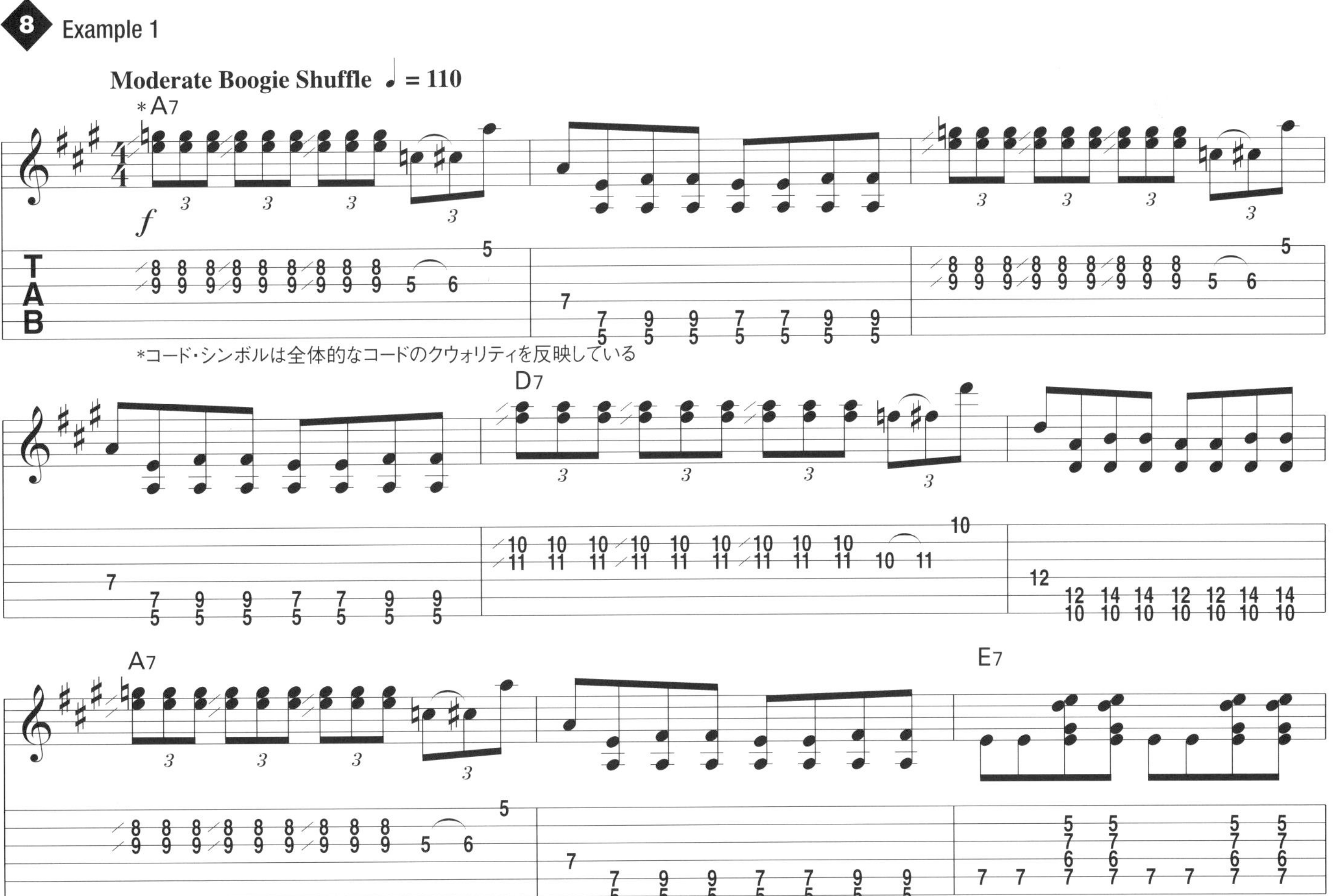

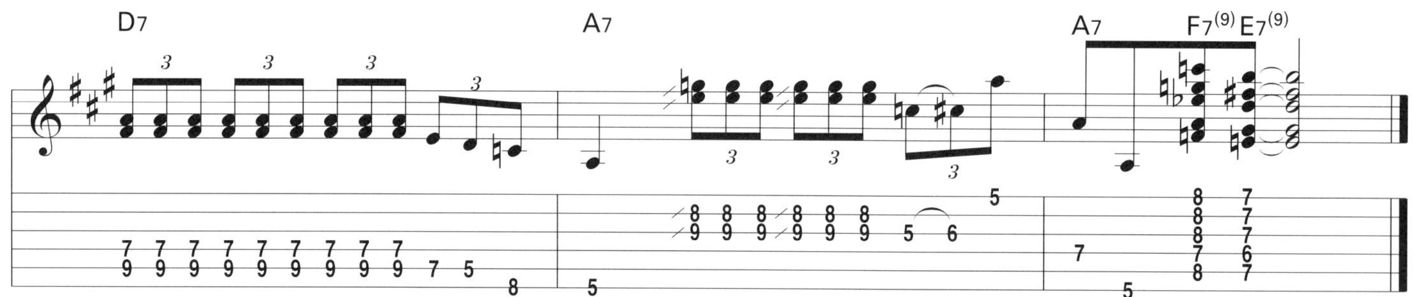

Example 2では、ウェスト・サイド・ブルース・セクションのExample 2(p.17)でIVコードのメジャー・クウォリティを表していたハンマリング・オン・リックが、スリー・コードすべてにおいて使われています。ブルージーなコーダル(コードによる)装飾音として、この形の多用性と重要性はいうまでもありません。これは、特定のコード・チェンジのメジャー・クウォリティ(性質)を確実に示すだけでなく、ハンマリング・オンで3度のダブル・ストップを挿入されたそのチェンジに対するIVコードへのすばやいハーモニーの動きを示します(下のExample 2では、1小節めから11小節めの2、3拍めで見ることができます)。

ベース・ラインは、トリオ・ブルースを演奏する際、ギタリストがもつべき音楽的なひきだしとして欠かせない要素です。ここでは各コードのミクソリディアン・モードから得たベース・ラインが各小節に入り、ドミナント7thクウォリティを示唆しています。6弦のルート音を正しいポジションを保ちつつ親指で弾きます。この方がハンマリング・オンしやすく、そして見た目もカッコいいのです。

9 Example 2

Moderate Shuffle ♩ = 110

N.C. **G7 C7 G7 D7 C7 G7 E♭7 D7

mf

*T= 6弦を親指で押さえる

**コード・シンボルは全体的なコードのクウォリティを反映している

ブルースの創生期(1900年以前)、ギタリストとピアノ・プレイヤーはお互いのアイディアを自由に借り合っていました。Example 3は、下行するピアニスティック(ピアノ的)なコーダル・パターンを中心にできていますが、これは本来デルタ・ブルース・ギタリストがプレイしていたものであるかもしれません。歴史上の先例にのっとった、5th、6th、♭7thを中心としたハーモニーの動きはブギー・ベース・ラインからきたものであり、ブルースの基礎となるものです。Exampleでは、パターンは転回され、メロディー・ノートが2弦上で下がっていきます。プログレッションはI-IV-Vチェンジに沿って平行に動き、ヴォーカルやソロが乗るための強固な土台となっています。

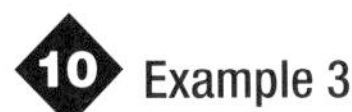

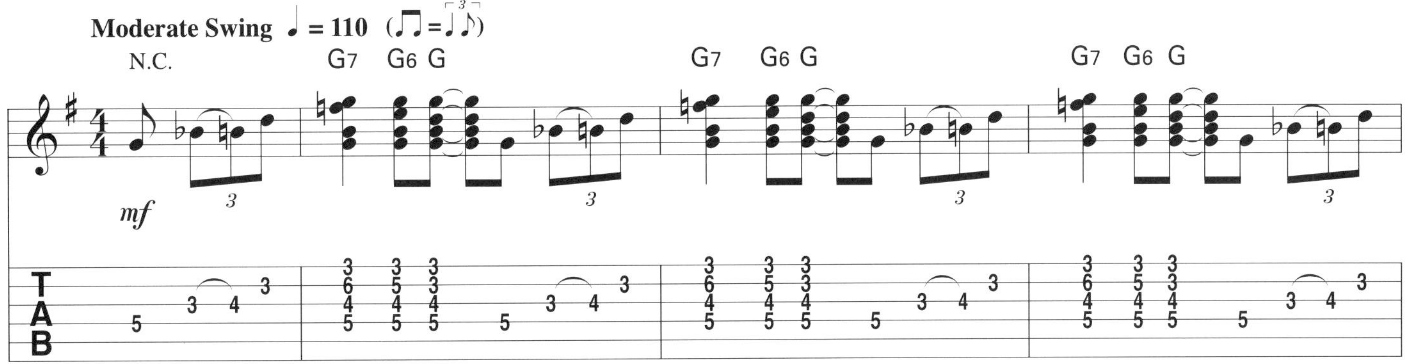

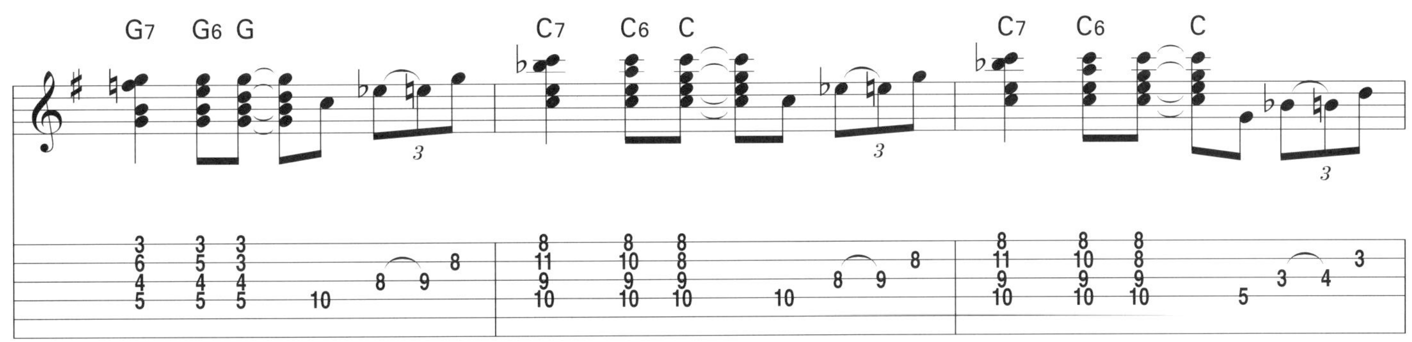

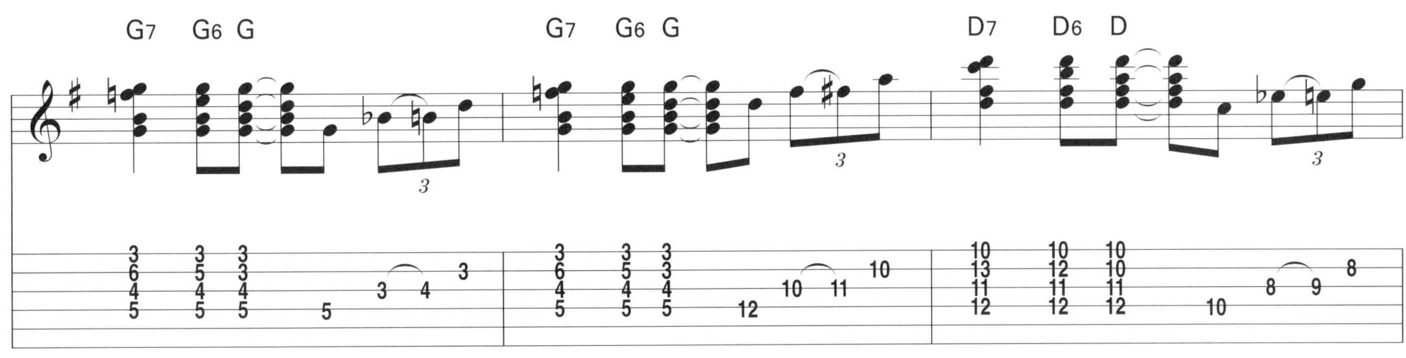

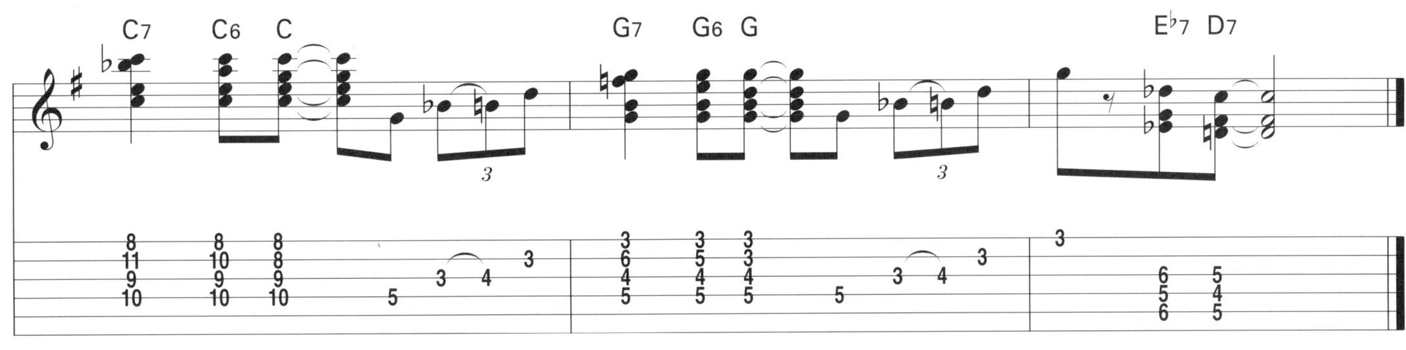

Example 4もまた、とてもたくさんのフレイヴァーをにじみ出しています。1、2、3、5、6、7、9、10、11小節めの休み(音を延ばしている部分も含めて)は、各コード・チェンジに合わせたブルース・スケールのリックで簡単に埋めることができます。インプロヴァイズしたフレイズに各コードのメジャー3rdを入れるようにすれば、ハーモニーのメジャー・クウォリティをあいまいにすることはありません。

4小節めと8小節めの3、4弦を使ったダブル・ストップは、メジャーからドミナント7thへの動きを示しています。♭7thの**リーディング・トーン**があなたの耳をどのように次のコードへと導いているかに注目しましょう。各小節の最初の2拍で弾くパターンのフィンガリングとして、トニック・ノート(G、C、D)を薬指で、そして指をクロスさせ5弦(D、G、A)を中指で押さえるようにしましょう。

Example 4

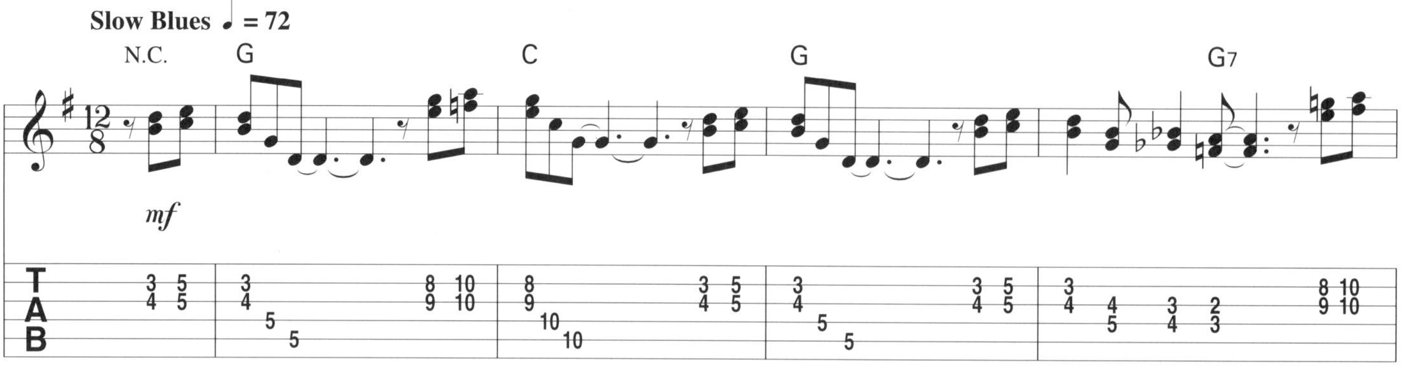

もうひとつピアノ的な演奏例を取りあげてみましょう。Example 5はブギ・ウギ・パターンをギターのハーモニーにアレンジしたものです。各小節の３度のダブル・ストップが２-３弦から１-２弦へ動くことによって、簡単にトニック・ベース・ノートを弾き続けることができます。また、左手の親指でベース・ノートを押さえれば、ダブル・ストップの下でベース音を延ばすことでペダル・トーンの効果が得られます。３つめのダブル・ストップ（１-２弦のダブル・ストップ）は、人差し指で１弦を、薬指で２弦を押さえます。

12 Example 5

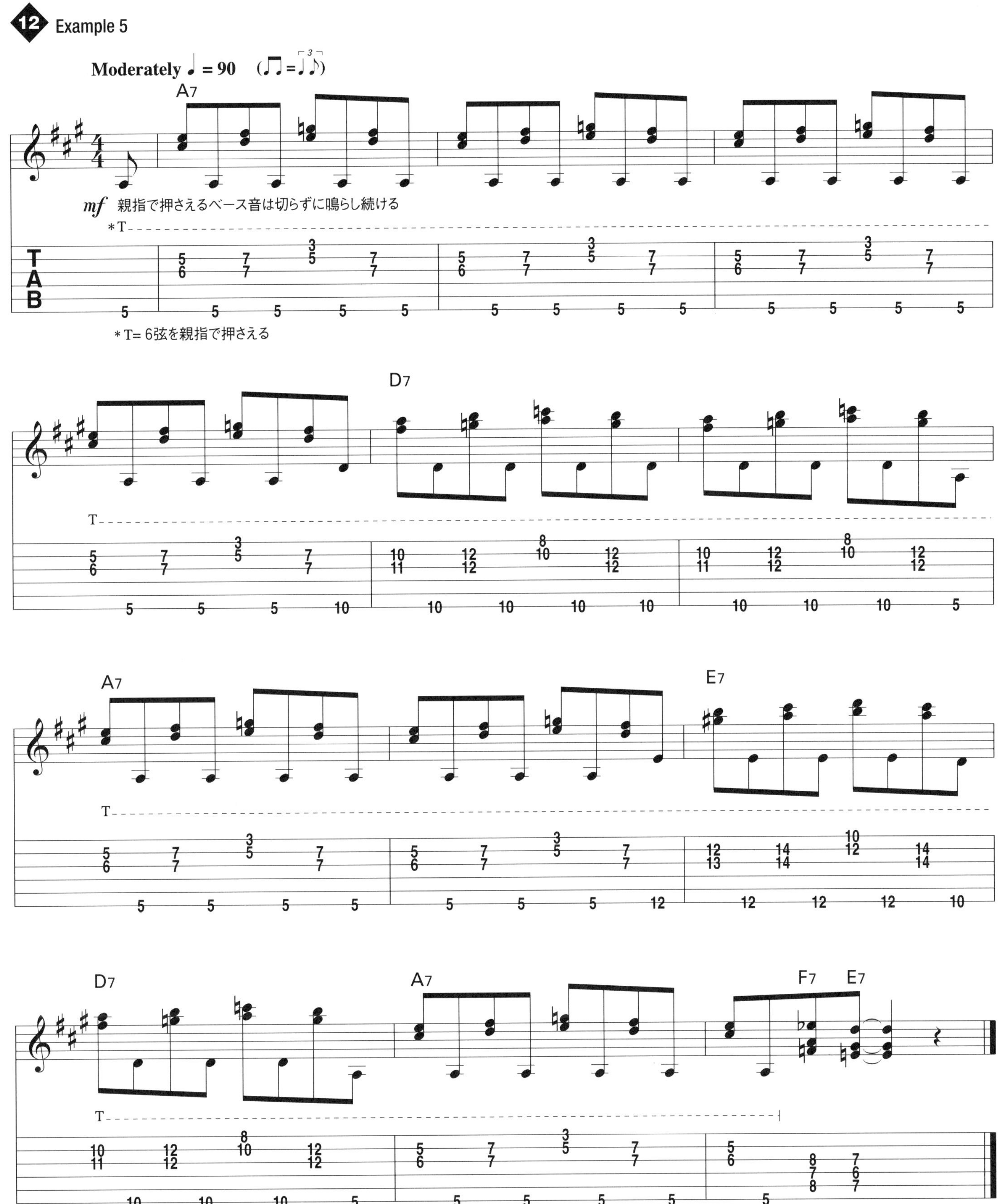

Example 6 は、エレクトリック・ブルースに共通なオクターヴ・ジャンプするベース・ラインによって力を与えられています。*Buddy Guy* はこのスタイルを好み、I've Got My Eyes on You で特にすばらしい効果を出しています。

ウェスト・サイド・ブルース・セクションの Example 6 (p.25) のように、I-IV コード・チャンジのフレーズはそれぞれ 2 小節単位でできています。F コードを示すベース・ラインと組み合わされた 2、4、8 小節めの A♭ と B♭ のトライアドは、*Sonny Boy Williamson* の Help Me と同じ I-♭III-IV のコード・パターンになっています。それを完全 4 度平行移動した 6 小節めも同様です。シカゴ・ブルースでは、I-♭III-IV コード・チャンジは希ですが、*John Lee Hooker* は、彼のデトロイトにおける多くのブギーの名曲でこの威嚇的なプログレッションを使いました。ブルースのノリを出すためには、I と IV コードのベース・ノートを親指で弾くのが自然でしょう。

13 Example 6

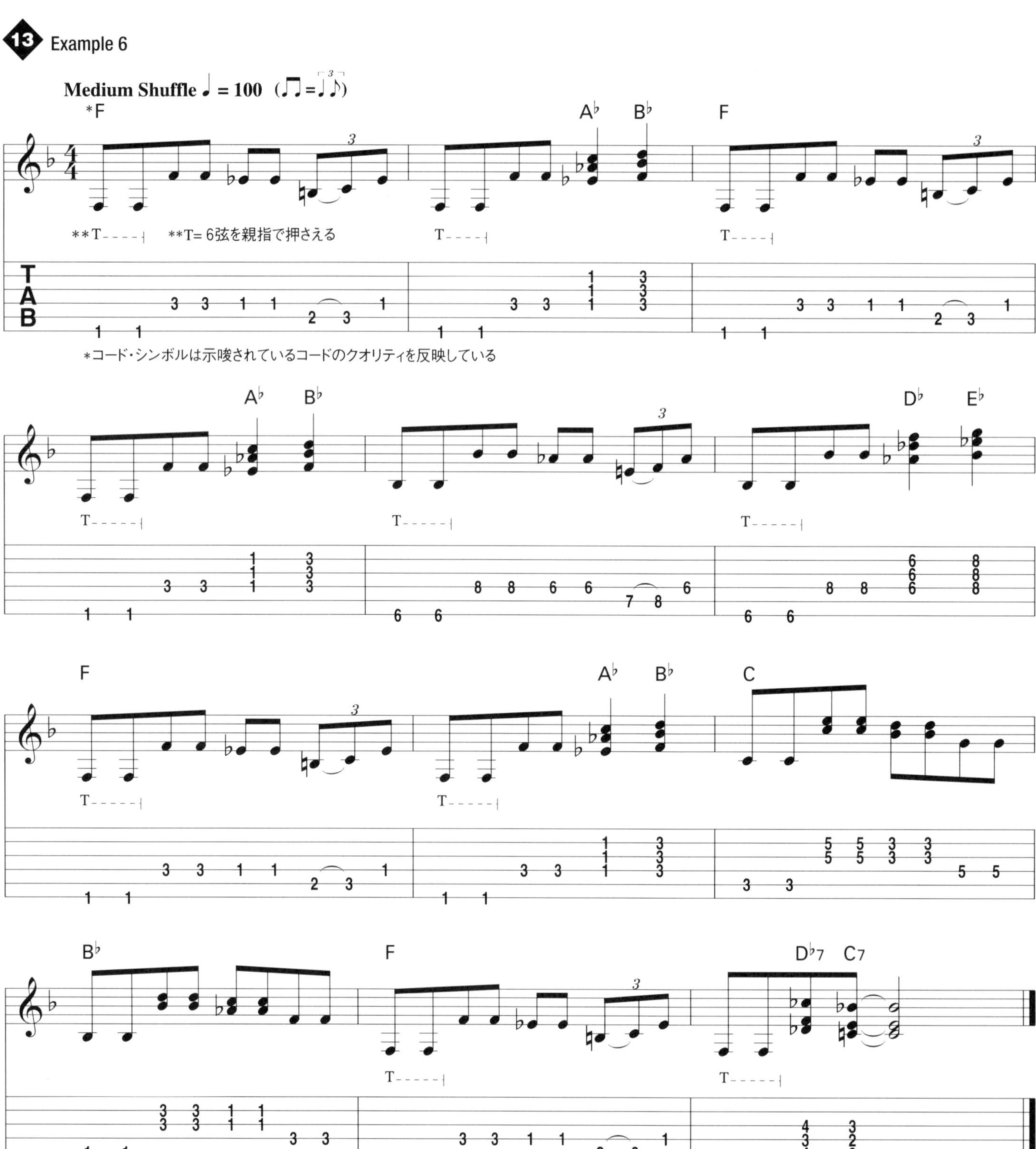

推進力の強いブギ･ウギのウォーキンング･ベースがExample 7に勢いを与えています。♭3rdから3rdへのハンマリング･オン･リックにフォローされるルートは、交互に現れる6thと組み合わされています。結果としてハーモニーは、デルタからシカゴまでのブルースの歴史をとおしておなじみの、ルート、5th、6th、♭7thを示すものになっています。

トリオ･ブルース･ギターのアプローチを考える時、ダブル･ストップ、コーダル･リック、そしてベース･ラインのブレンドによって、4、5、6音のコードのように厚くサウンドさせることができる、という認識をもつことがたいせつです。多彩なダイナミクスやコントラストあれば、実際のハーモニーをプレイする以上にハーモニーを示すことができます。

Example 7

**コード･シンボルは示唆されているコードのクオリティを反映している

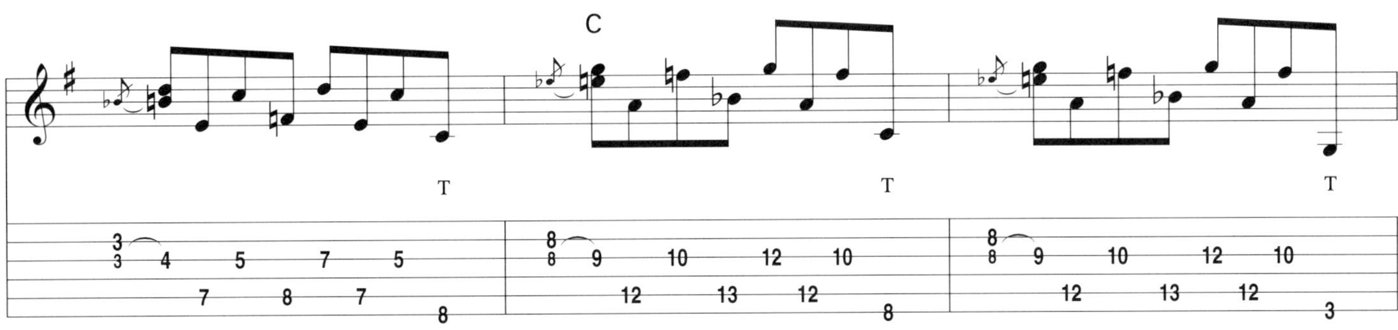

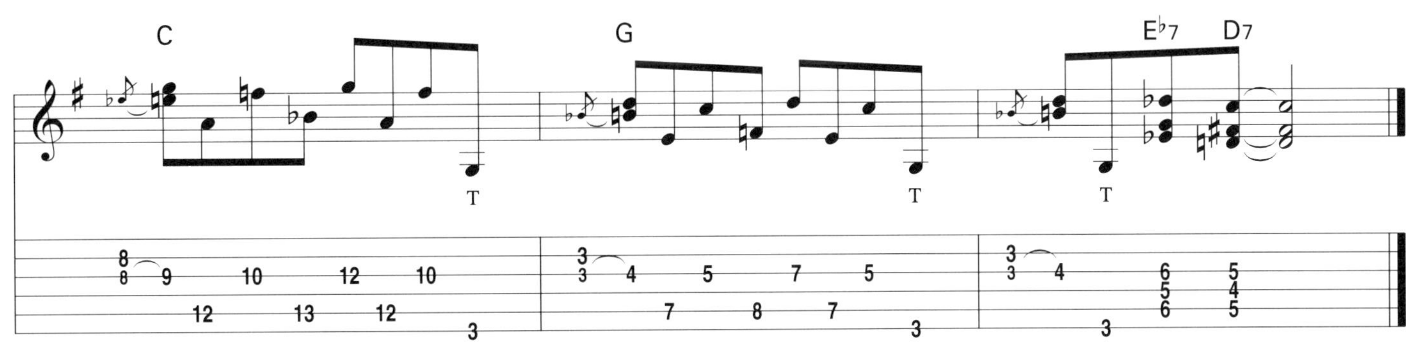

Example 8は、ウォーキング・ブギー・ベース・ラインのもうひとつのステキなヴァリエーションです。今回は、I，IV，Vコードのベース・ノートは各コードのルートより、むしろ5thが使われています。それにより、A弦上の6thと♭7thのベース・ノートへスムースな動きが創られ、さらにベース・プレイヤーが弾くトニック・ノートと組み合わせることで別のレベルのハーモニーが加わり、ハーモニーの幅が広がります。

2弦と3弦のダブル・ストップは、おそらくこれからよく目にする古典的なブルースの装飾法です。理論的には、これらは、I，IIm，I7を表しています。また、2つめのダブル・ストップはIVコードのルートと3rdを含んでいるので、聴覚的にはIVコードへのステップを示しています。どちらにしても、これはメジャーやドミナント・コードを上手くつなげる役割を果たします。

Example 8

＊コード・シンボルは全体的なコードのクウォリティを反映している

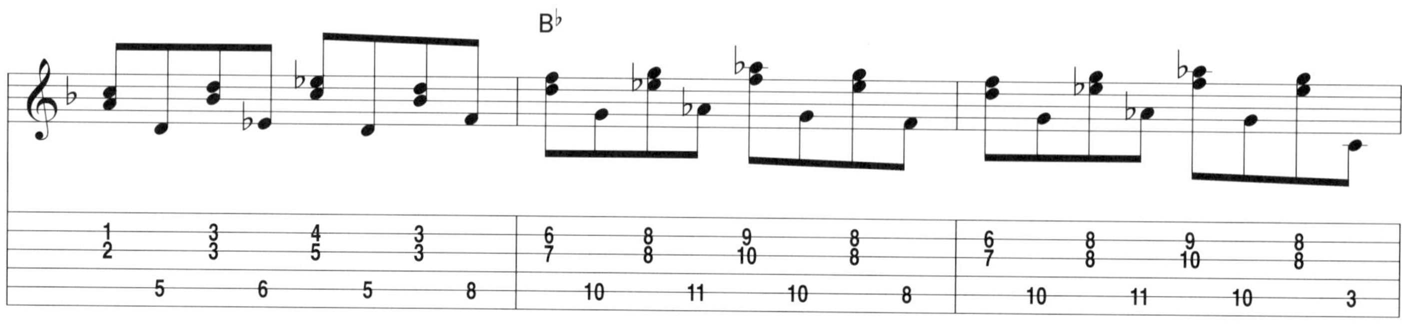

Example 9 は、Example 7 と 8 で示されているハーモニーを 4 声のコード・フォームに拡張したものです。くり返しますが、これらは本来ピアニスティックな奏法であり、スロー・ブルースに厚いブルース・ハーモニーを加えるものです。ハーモナイズされた動くベース・ラインには、あまりにもたくさんの音がつまっているので、加えられることはほとんどありません。

他の関連した Example とは対照的に、Example 9 は各小節の 1、2、4 拍めでは人差し指のバレーでプレイします。

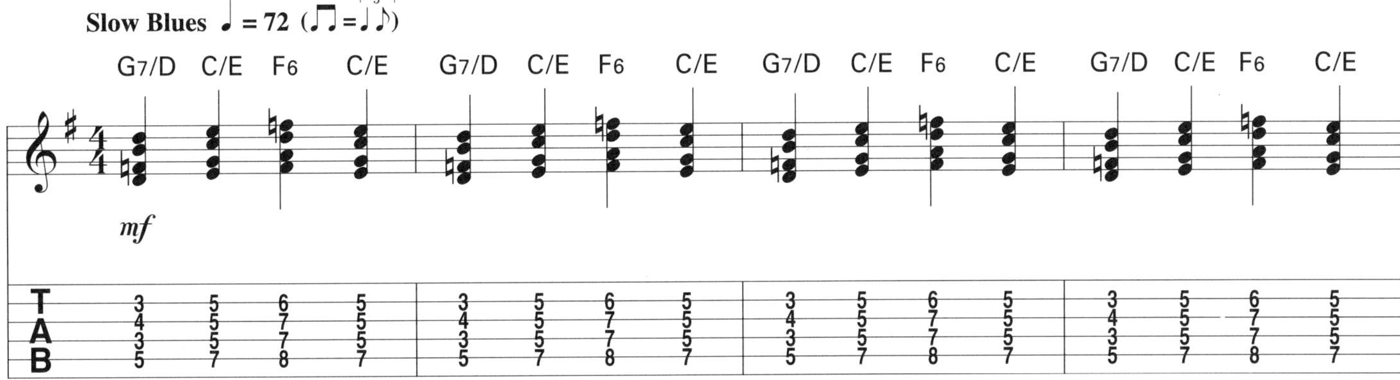

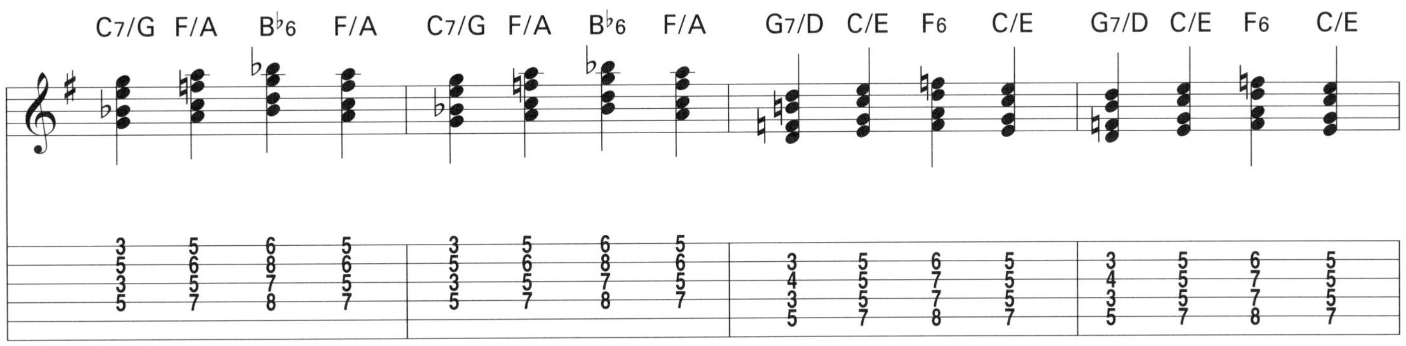

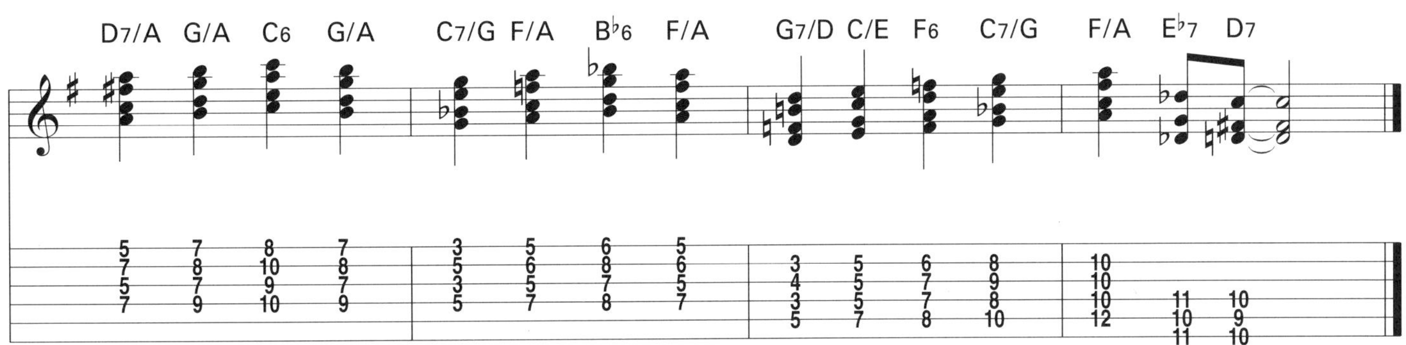

Example 10は、これまでの３つのExampleで探求してきたハーモニゼイションの理論的最終段階です。このようにアーシーな音楽に**壮大な**という表現は少し大げさかもしれませんが、これらのコード・ヴォイシングはまちがいなく気持ちよく響くものです。

1、2、4拍めは（もちろん）親指を使います。3拍めのトリッキーな（ちょっと意外な）ドミナントの転回形 は、人差し指で1弦から4弦までバレーで押さえながら薬指で6弦、小指で3弦、中指で2弦を押さえます。*Louis Jordan*の言葉を借りれば、「*We have other fish to fry.(ほかにもやらなければならないことがある)*」とあるので、先へ進んでみましょう。

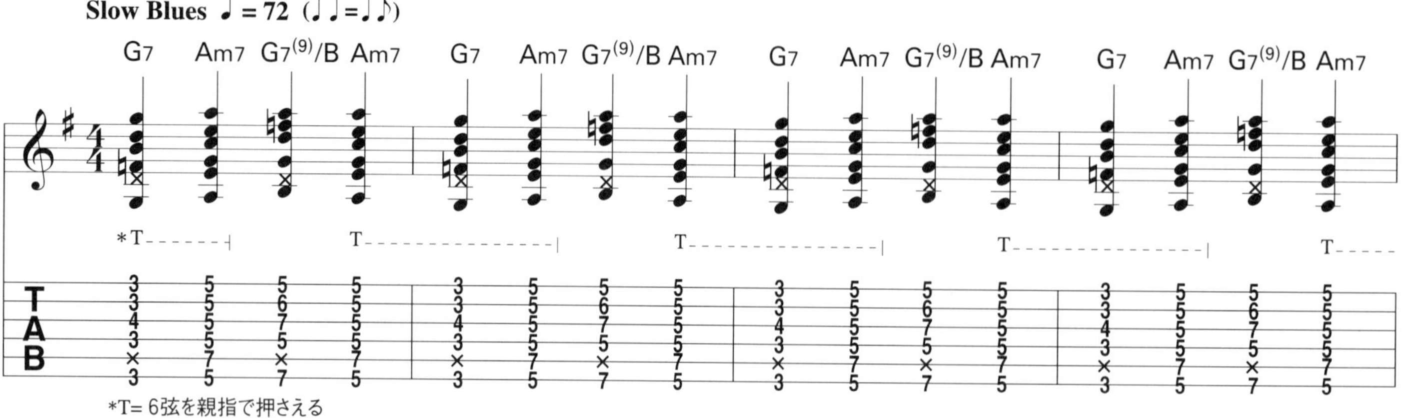

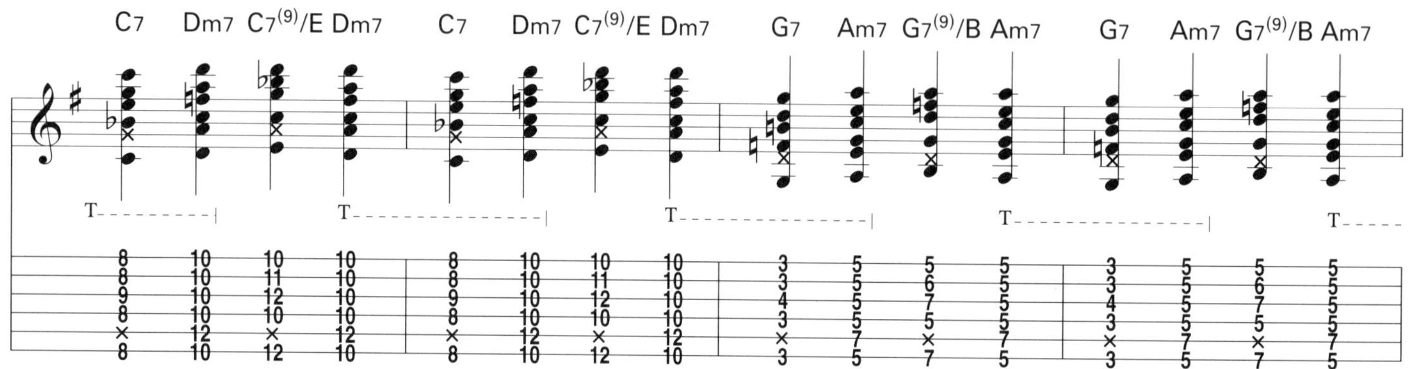

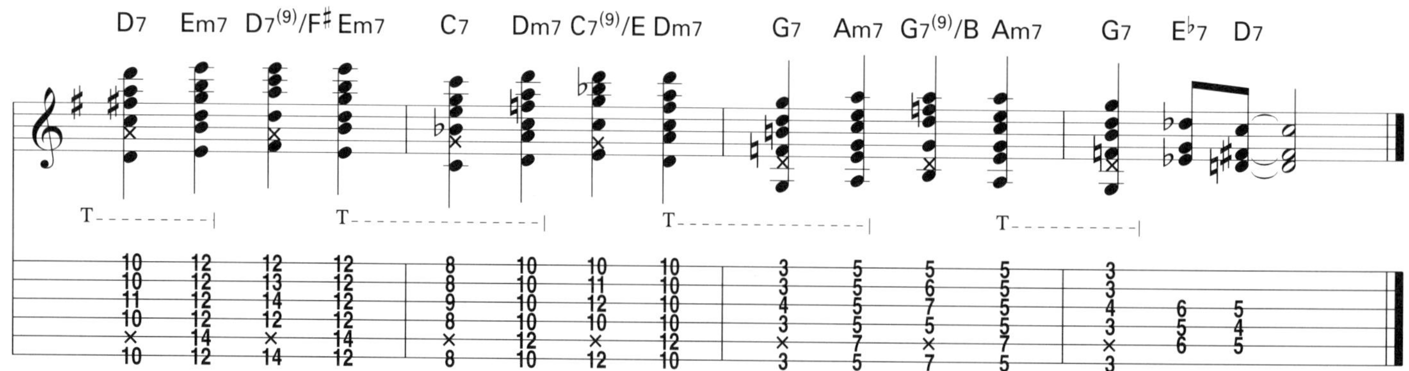

とてもクールなExample 11のソースは、*Elmore James*のSUNNYLANDと*Willie Dixon*のKILLING FLOORの*Howlin' Wolf*ヴァージョンです。6度のダブル・ストップはメジャー、マイナー、そしてドミナントのハーモニーを(逆の順序で)示しており、これはExample 8では3度で行われたものです。Iコードのパターンを IV コードとVコードへ平行に上げる代わりに、IV コードである5、6小節めでは同じフレットの近くでC7(♭9), C6, C7を示唆するようにハーモニーが変えられています。9小節めではVコード・パターンがD6, D♭6, D7を示唆しています。このような示唆が使えるかどうかは、その前後関係次第であることを覚えておきましょう。理論上はトライアド(メジャー、マイナー、オーグメント、ディミニッシュ)は3音が必要であり、ドミナント・コードには4音(ルート、3rd、5th、7th)、またはそれ以上の音(9th、13th)が必要です。

Example 11

Medium Shuffle ♩ = 90

N.C. *G G7 Am G | G G7 Am G | G G7 Am G

mf

**T= 6弦を親指で押さえる

*コード・シンボルは示唆されているコードのクオリティを反映している

G G7 Am G | C C7(♭9) C6 C7 | C C7(♭9) C6 C7

G G7 Am G | G G7 Am G | D D6 D♭6 D7

C C7(♭9) C6 C7 | G G7 Am G | E♭7 D7

Example 12は、Example 11のダブル·ストップをトライアドやトリプル·ストップに拡張したものです。ハーモニーは単純化され、Iコードではトニックと IIm コードを、IV コードとVコードでは6thと9thを示唆しています。

IコードとIVコードのそれぞれの2小節フレーズを導くベース·ラインは、メジャー·スケールのルート、3rd、5th、6thでできています。もしラインが♭7thまで上がれば、ミクソリディアン·モードでできていると考えられます。実際、Vコードのベース·ラインは5th、6th、♭7thとパッシング·ノートの7thを含んでおり、Dミクソリディアン·モードに相当します。

*Magic Sam*は、フレージングは違うものの、All Night Longでこれら3音のフィギュアを使いました。彼の古典的なマイナーの曲All Your Loveのヴァリエーションであるこの曲は、本書のExampleのようにメジャー·キーです。

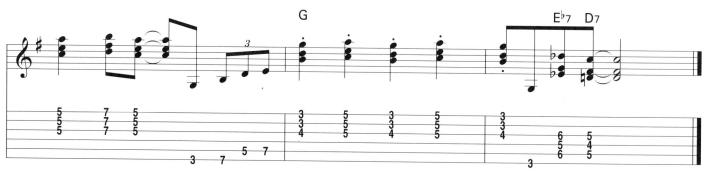

Photo: Courtesy of Delmark Records

グレッチの6120チェット・アトキンス・ナッシュビル・モデルを持つRobert Johnsonの養子、Robert Lockwood, Jr.。Lockwoodは、アコースティックなデルタ・ブルースでも、エレクトリックなカントリー&ウェスタンでもなく、スウィング・ジャズのフィーリングを自分のブルースに取り入れました。ヴィンテージのアンペッグ・ジェミニ・アンプは、温かく、木のぬくもりを感じさせ、ナッシュビル・サウンドには最適です。

'40年代はじめ、*Muddy Waters*の右腕であったギタリスト*Jimmy Rogers*と、*Little Walter*や他の一流プレイヤーたちのバックでドライヴするリズム・ギターを弾いていた*Louis Myers*がシカゴにやって来ました。*Big Bill Broonzy*や*Tampa Red*の洗練された都会的ブルースが、その文化の一部となっていた街に落ち着いたこの２人のエレクトリック・ブルースのパイオニアたちは、スウィング・ジャズも自分たちの重要な音楽的な基礎としていました。影響を受けたミュージシャンとして２人とも*Robert Lockwood, Jr.*をあげているのは偶然ではありません。*Lockwood*のセンスのいいジャズ・ブルース・スタイルは、*Sonny Boy Williamson*から*Muddy*、*Little Walter*、*Otis Spann*、*Sunnyland Slim*、*Willie Mabon*に至るすべての人たちのレコーディングに彩りを加えました。また、彼のソロ・ワークには、ジャズとカントリー・ブルースの調和のとれた融合が反映されています。

Example 13は、*Count Basie Orchestra*のギタリスト*Freddie Greene*のようなスウィング時代のギタリストに好まれた、いわゆる３声コードのフォームでヴィシングしたスロー・ブルースです。これはあなたが考えるシカゴ・ブルースの基準をはるかに越えるものであり、より進歩的なプレイヤーたちが使ったヒップなコードを含んでいます。

１拍ずつ動くベース・ラインは、６弦からヴォイシングされるコードによって、確実に前進する動き、メロディー、そして全体の流れを創り出しています。1、3、7、11小節めの中のコーダル・プログレッションは、パッシング・コード(♯V)を含んで、トニック(ドミナント・コードとしての)からIVコードへのダイアトニックな動きを出しています。そして2、5小節めは、それをキーCに移したものと同じです。4、6、8小節めは、9、10小節め(上行する半音パターン)と同じコンセプトを下行する半音パターンで表しています。

これらのコード・サブスティテューション(代理)は、しばしば*Little Walter*のジャンピング(跳び跳ねるような)・シャッフルの中にも隠されています。しかし、基本的にこれらは、スローなジャズ風のブルースで特に活きるでしょう。

Example 13

Slow Blues ♩ = 72

G7 Am6 E♭7/B♭ E7/B | C7 Dm6 A♭7/E♭ A7/E | G7 Am6 E♭7/B♭ E7/B | G7/D G♭7/D♭ F7/C E7/B

C7 Dm6 A♭7/E♭ A7/E | C7/G B7/F♯ B♭7/F A7/E | G7 Am6 E♭7/B♭ E7/B | G7/D G♭7/D♭ F7/C E7/B

D7/A E♭7/B♭ E7/B F7/C | C7/G D♭7/A♭ D7/A E♭7/B♭ | G7 Am6 E♭7/B♭ E7/B | C7(9) D♭7(9) D7

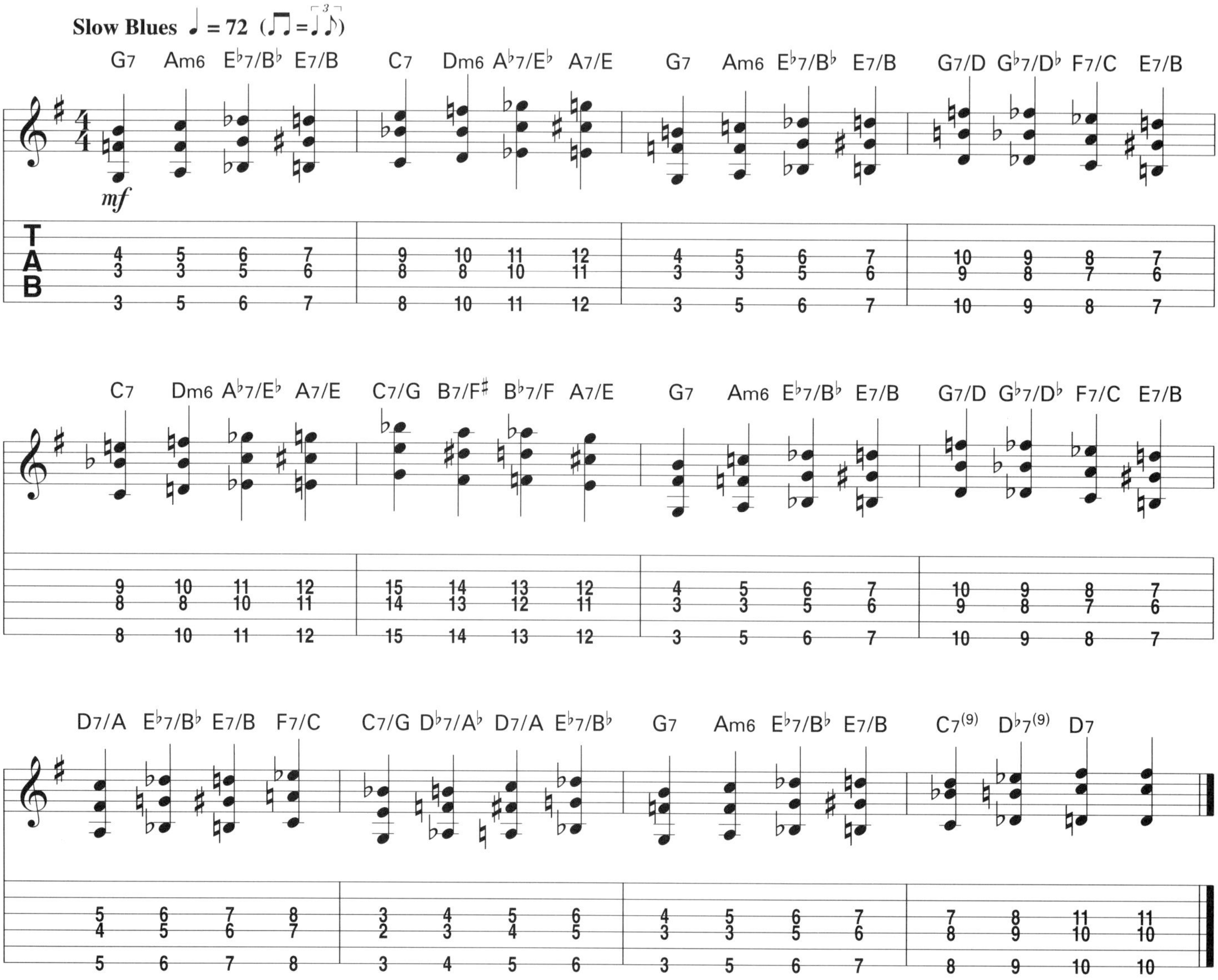

Example 14は、Example 6のオクターヴ跳躍するシーケンスにダブル・ストップ・パターンを加えて、2小節フレーズが創られています。Iコードと IVコードである2、4、6、8、10小節めの4度、短3度、長3度のダブル・ストップは、メジャー、マイナーのどちらのクウォリティともとることができます。Example 14のメジャー・クウォリティがメジャー・スケールまたはミクソリディアン・モードのどちらに支配されているかを、最終的に決定するのはベース・ラインです。IコードとIVコードのパターンが全く同じであれば、ダブル・ストップの入った小節の1拍めだけではなく、それまでの小節の流れがGからCへのチェンジを示すトニック・ノートを提供します。9小節めVコードは、キーDのオクターヴ・ラインだけでできています。

このパターンを使った有名な曲は、*Chuck Berry*のSchool DaysとNo Particular to Goです。

21 Example 14

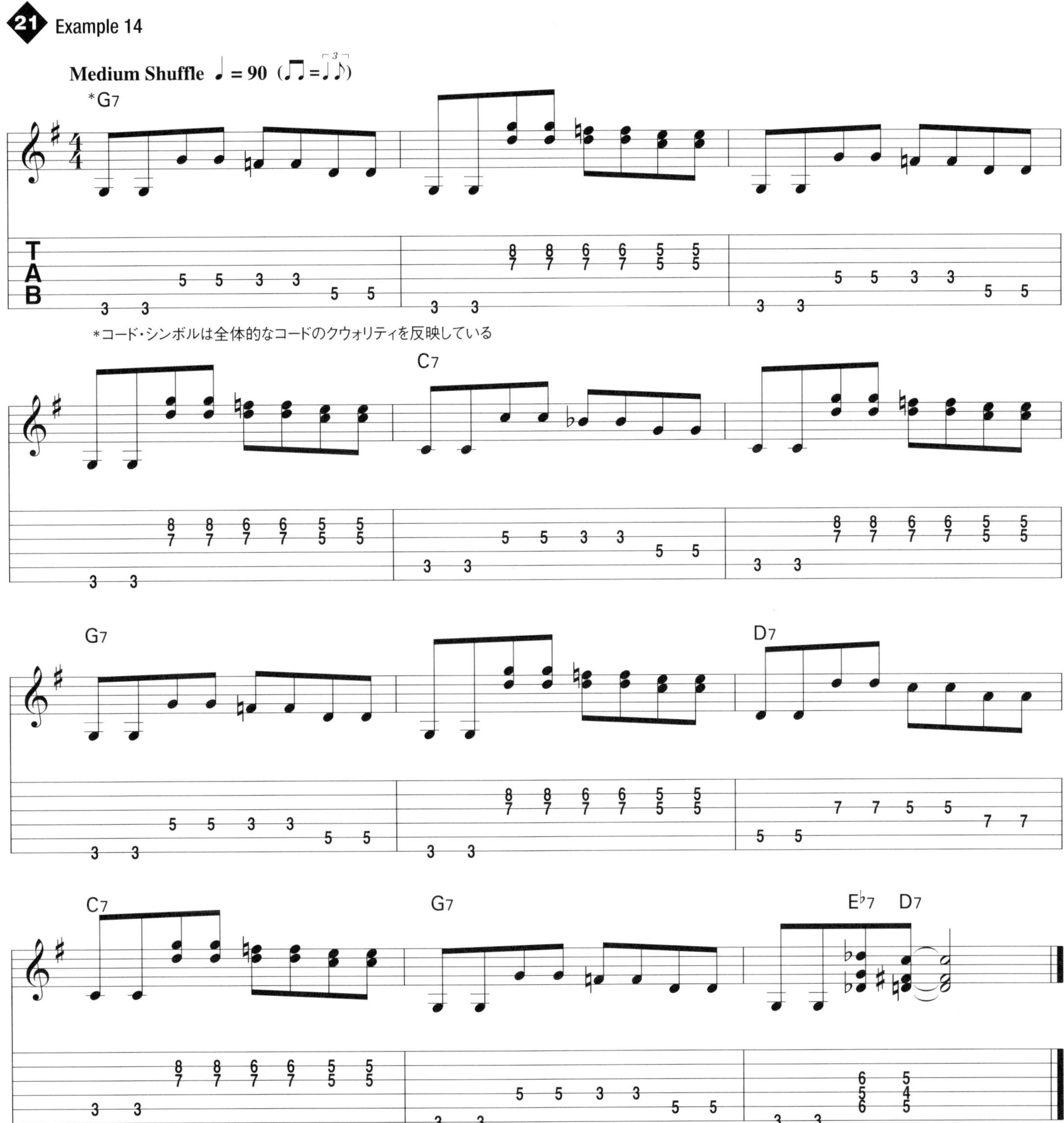

Example 15 のダイアトニックの３度のダブル・ストップは、*James Cotton* ヴァージョンの *Little Junior Parker* の Love Me or Leave Me を基本にしています。このパターンの落ち着いた４分音符のスムースさは、８分音符のウォーキング・ベース・ラインの上に心地よく乗ることでしょう。これはブルース・ハーモニー（ミクソリディアン・モード／ブルース・スケール）ではなく、ダイアトニック（またはメジャー・スケール）でできているため、♭3rd と♭7th が入っていないので、その結果ヒップなサウンドになっています。曲のメジャー・トーナリティとブレンドして、おのずとブルース・スケールのソロやフィルをプレイすることができるでしょう。

22 Example 15

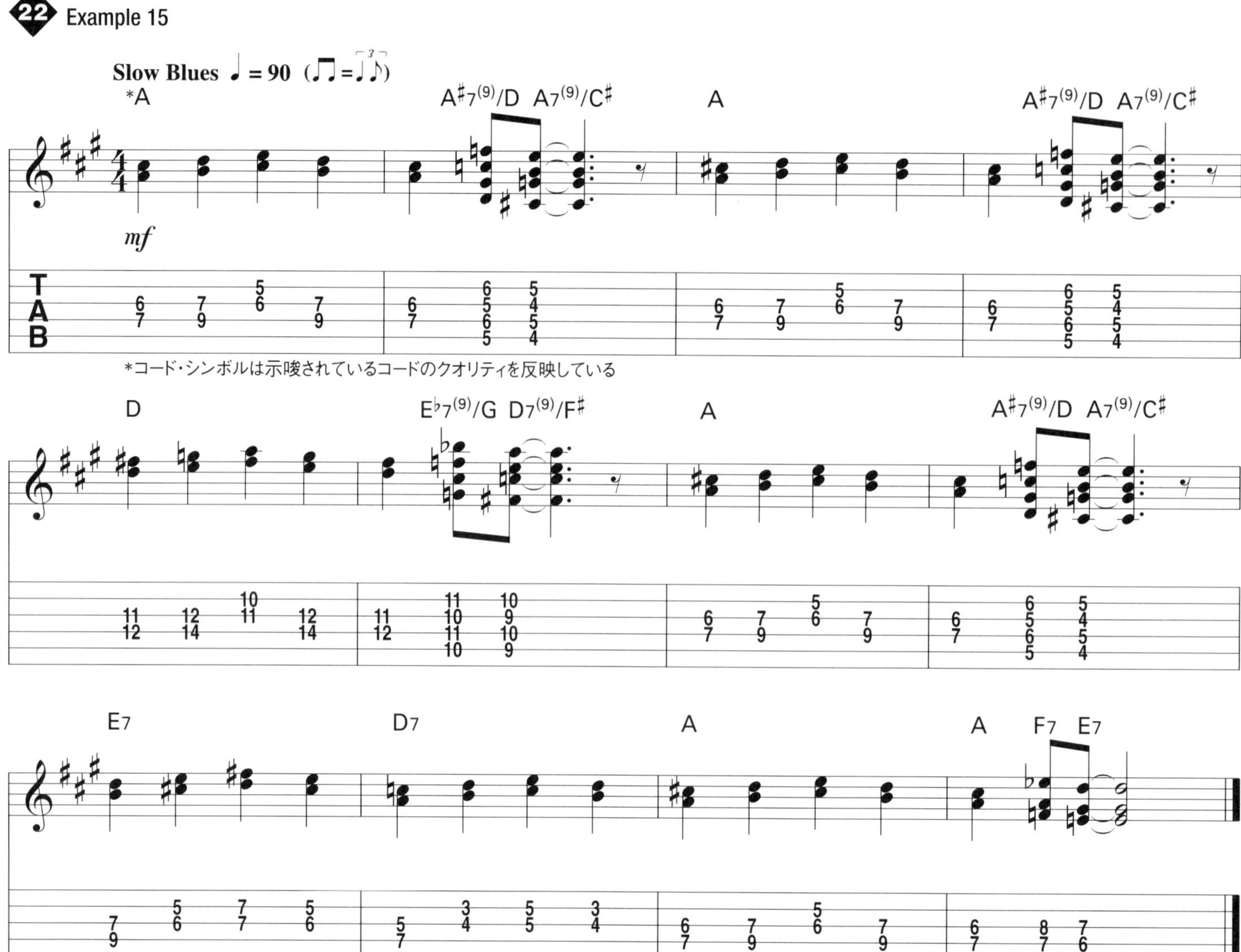

Example 16 は昔懐かしいブギー・シャッフルです。キー E のシャッフル・ブルースはトリオ・ギタリストにとって必須です。

最良の、そして最も自然なアレンジとして、Example 16 の I - IV - I チェンジの最初の８小節では動くブギー・ベース・ラインとリード・フィルが交互に現れます。２小節めは初期の Delta レコーディングを彷彿させるダブル・ストップ（5th と♭7th）を使っています。ちなみに *John Lee Hooker* と *Lightnin' Hopkins* は、この力強いサウンドを使ってたくさんのソロ・ブルースをプレイしました。

４小節めは、ブルースの歴史においてもっとも効果的な I コード・リックの１つです。*T-Bone Walker* によって広められ、その後、誰もが自分のレパートリーに加えました。６小節めは、２小節めのように、キー A の 5th と♭7th のスケール・ディグリーを使ったダブル・ストップによって IV コードのクウォリティを強調しています。

8小節めでは低音弦を使ったフィルで、それまでの高音弦のリックとのダイナミックに対比させ、続くVコードにつなげています。
9小節めはBミクソリディアン・モードによる味のあるフィル、10小節めはAミクソリディアン・モードによるアルペジオされた6度を使っています。11、12小節めは、*Muddy Waters*が'40年代初頭にデルタからシカゴにもたらしたものと同様の、低音弦のターンアラウンドにスポットを当てています。

Example 16

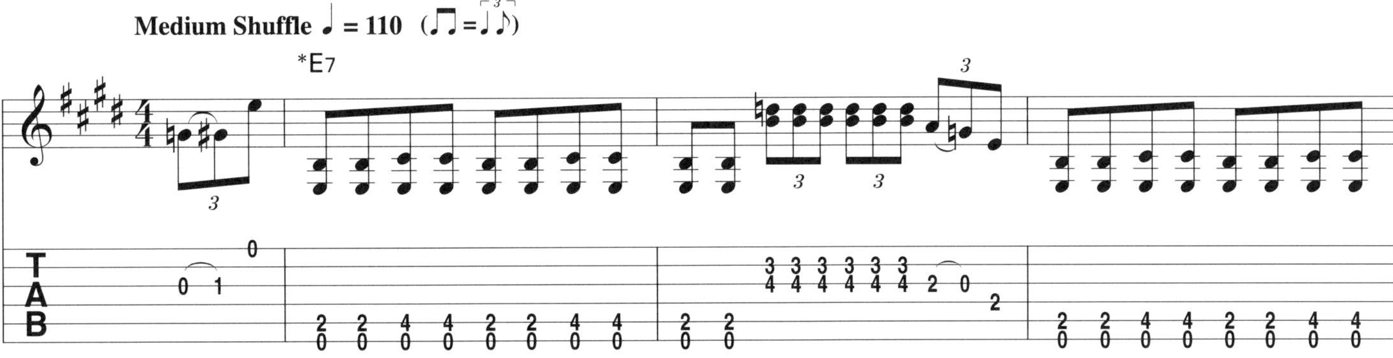

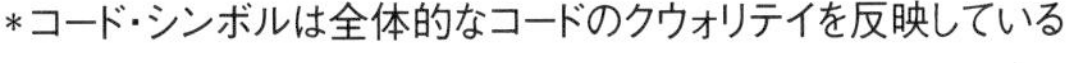

*コード・シンボルは全体的なコードのクウォリティを反映している

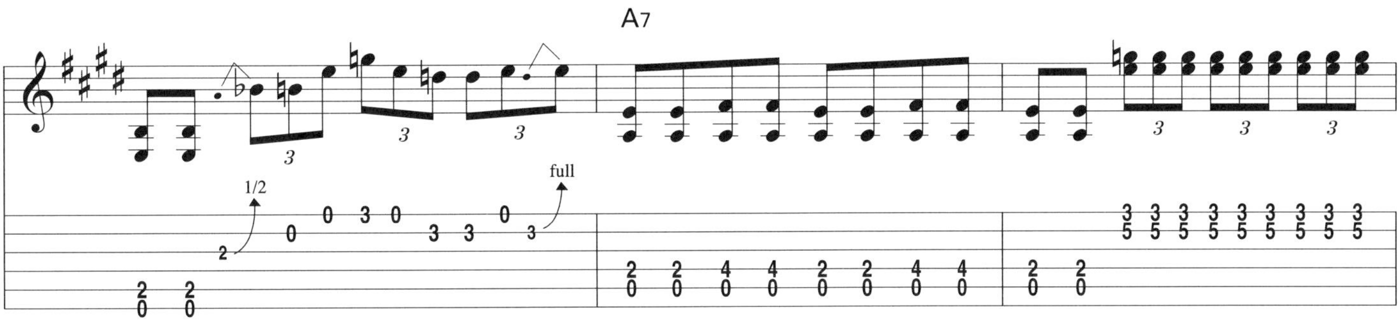

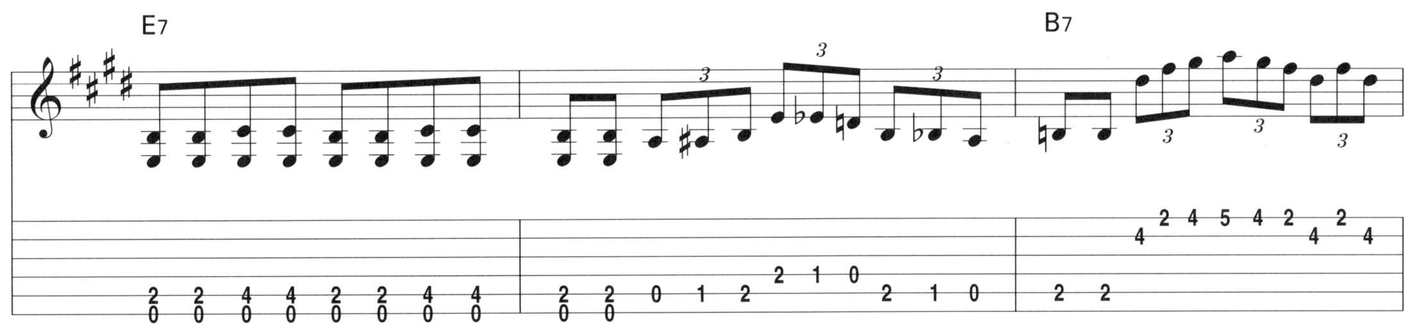

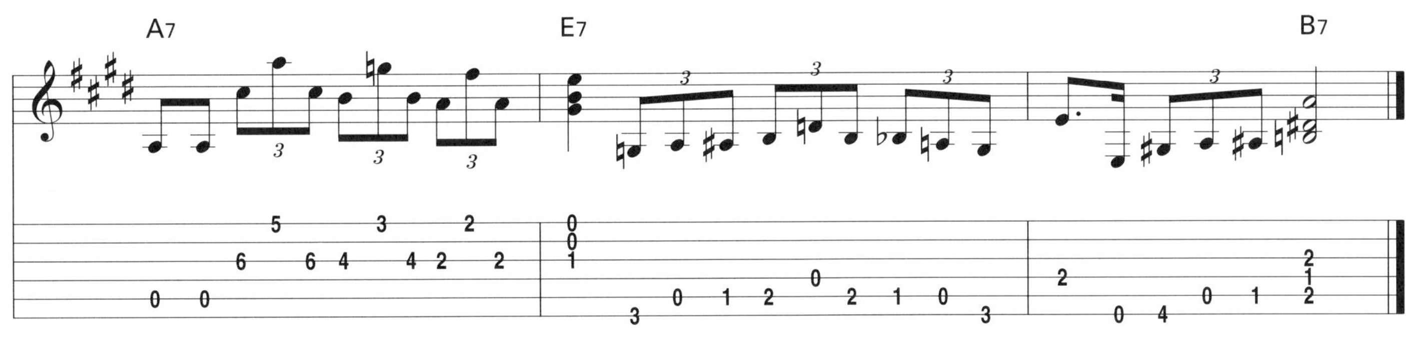

Example 17は、ムーヴィング·ブギー·ベース、またはウォーキング·ブギー·ベースの上にハーモナイズするもうひとつの方法を見せています。これはとくにアップビートでメロディックなメジャー調のシャッフル·ビートで役立ちます。*Tampa Red*, *Big Bill Broonzy*, *Memphis Minnie* のような戦前のシカゴ·アーティストたちは、おそらくメジャー·トライアドが中心であった彼ら自身のルーツであるジャズやゴスペルのルーツを反映して、しばしばメジャー·クウォリティを好んで使いました。

各チェンジは各メジャー·トアイアドとともにエクステンションも含んでいます。各小節の3拍め(12小節め以外)は、IVコードへの素早いハーモニック·チェンジを表す(1～4、7と8小節め)か、示唆(5、6、9、10小節め)しています。IVコードとVコードの小節の中でsus4というコード·シンボルがあります。前からの流れがチェンジのIVコードへの動きを示唆しているので、これは理論上の目的だけのために書かれたものといえます。

Example 17は、往年の名曲 *Ma Rainey* の SEE SEE RIDER BLUES のような曲の伴奏にぴったりです。

24 Example 17

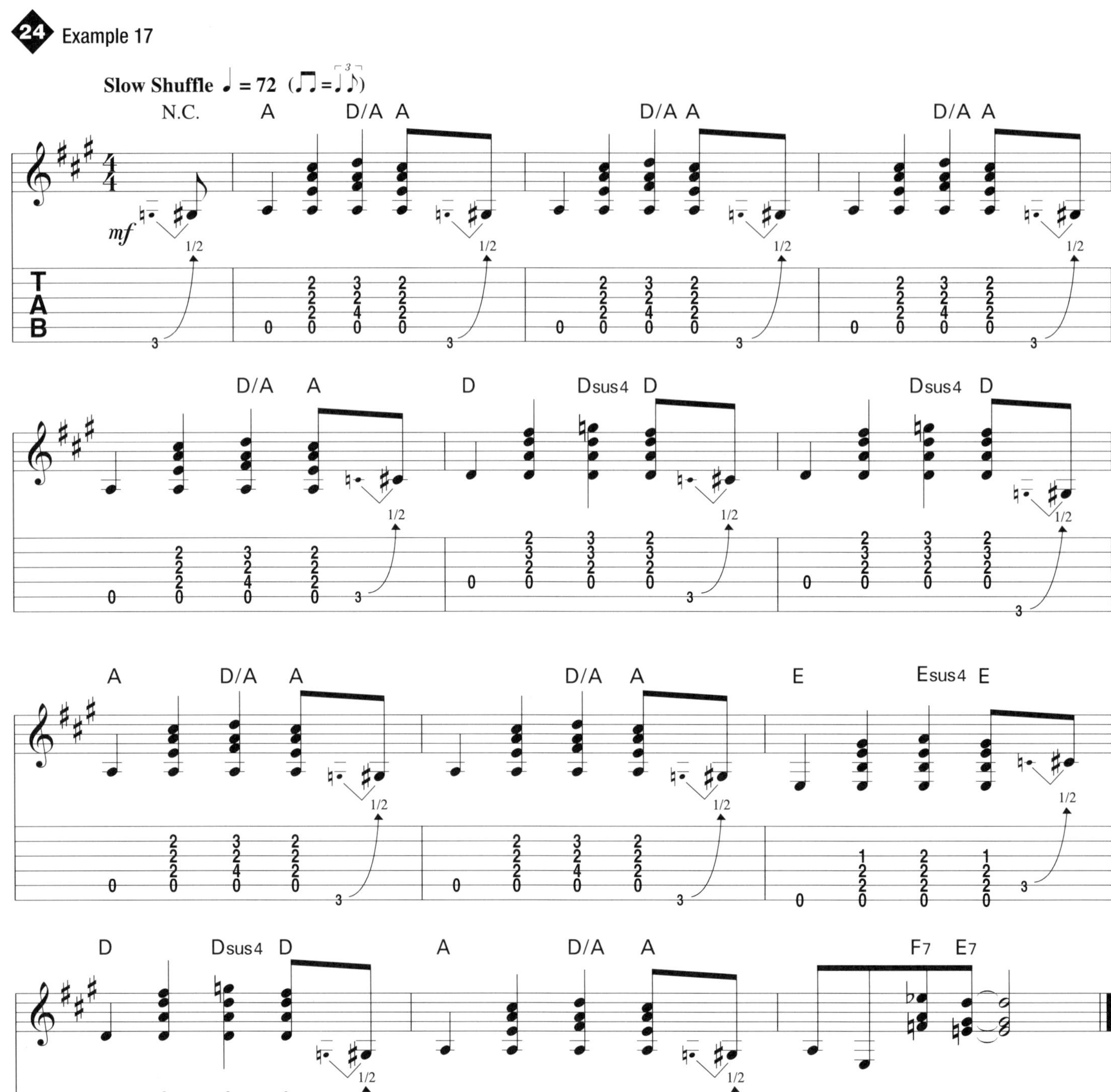

Photo: John Rockwood

自らの人生を語る*Sam "Lightnin' "Hopkins*。ここで彼が弾いているのはギルド・スターファイアーです。'50年代初頭の彼のトリオ演奏は、言葉に表せないくらいすばらしいものでした。

Texas Blues

テキサスブルース

カンサス･シティ･ジャズとウェスタン･スウィングの多大な影響が、戦後のテキサス･ブルース･ミュージシャンたちがリフやコンプ(伴奏の)･コードを基本にしたスタイルを築くことに拍車をかけました。スウィング･ホーン･セクションの大きな特徴であるグリッサンドは、アルペジオやより長いインプロヴァイズ･ソロができ、かつ、より音が大きくクリアなエレクトリック･ギターに取って代わります。シカゴで流行っていたブギ･ラインとは対照的な、ジャジーなウォーキング･ベース･ラインを伴い、これらの要素がサザン･ウェスタン･ブルースと結びついて、スムースで流暢という特徴を生み出しました。

Example 1は、ミクソリディアン･モードのベース･パターンと、小さいホーン･コンボとはちがうダイナミックなコンプ･コードを組み合わせています。1～4、7、8、11、12小節めのトライアドはホーン･セクションを真似るように鋭く機敏に弾きます。Iコードの小節にある9thの転回形は、今でも使われるT-Boneが生んだエレクトリック･ブルース･ギターの代表的なテクニックのひとつです。そして同時に9thに記された生々しいグリスは、彼のコンピング･スタイルの中心といえるものです。

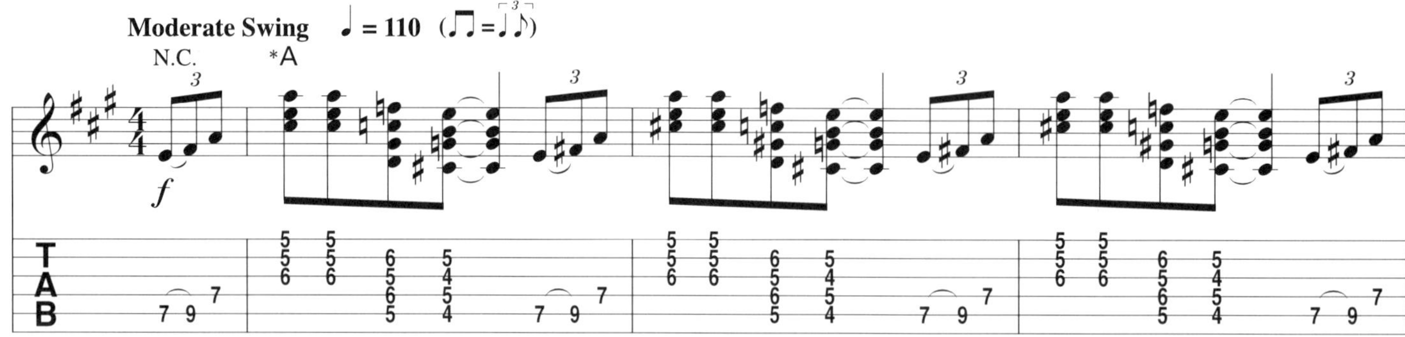

*コード･シンボルは全体的なコードのクウォリティを反映している

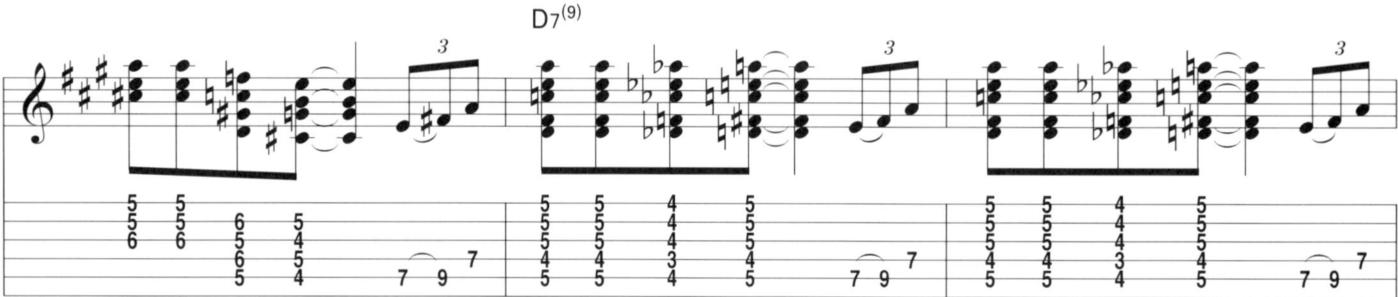

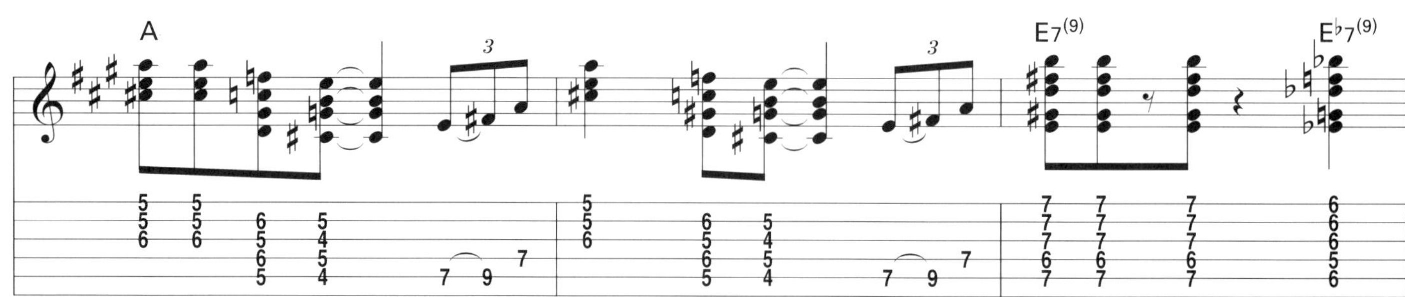

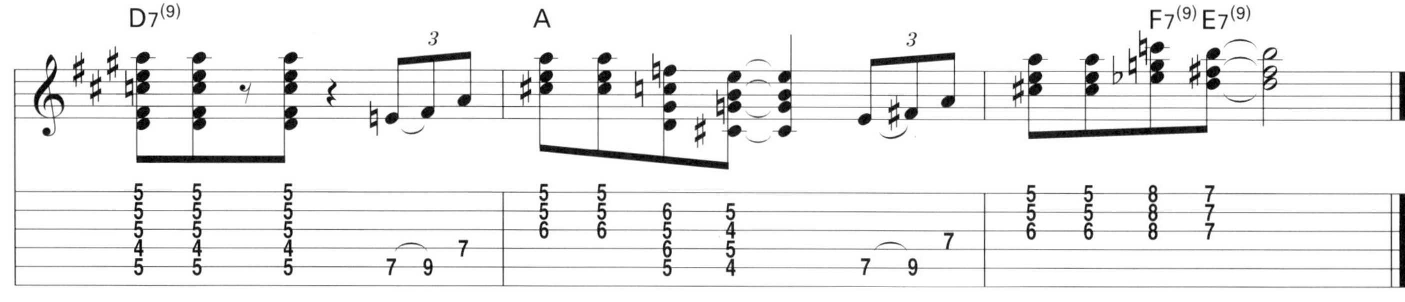

Photo: Dave Rubin Collection

ギブソン・ファイアーバードでスライドを使ってブルースを弾くテキサス・ブルース・マン*Johnny Winter*。これ（おそらくファイアーバードV）はレスポール・スタンダードのネックに換えられています。フェンダー・タイプの逆さまのファイアーバードのヘッドではない、伝統的なギブソンのヘッドに気づいたでしょうか。

*T-Bone*が使ったもう１つのジャズ的な手法は、Example 2で見られる6thと9thコードのスライディングです。事実、これらのフォームは濃厚なヴァージョンのStormy Mondayの演奏に特に良く合います。これらは人差し指でプレイし、各小節の４度のダブル･ストップを小指で押さえます。各小節の最後の拍の１音めにあるルートに続く3rdは、ハーモナイズされたミクソリディアン･モードであり、それぞれC7–B♭7，F7–E♭7，G7–F7を示唆するものです。

豊かなハーモニーは、シングル･ノートの組み合わせによって生まれます。そしてダブル、トリプル･ストップは間違いなく魅力的なものです。状況によっては、ソロにおいてそれ自体を主役することもできるのです。

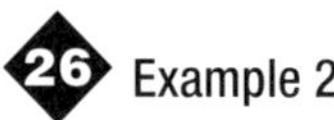
Example 2

Slow Blues ♩ = 92

*B♭ E♭ B♭ F E♭ B♭ G♭7 F7

*コード･シンボルは全体的なコードのクウォリティを反映している

Photo: Tracy Hart/The Heights Gallery

1983年3月26日、ヒューストンにて。改造いた'50年代後期のストラトにたばこをはさみプレイする ***Stevie Ray Vaughan***。

Example 3は、Example 2のスライディング6th、9thコードを基にした、より小さいダブル・ストップのヴァリエーションです。味のあるミクソリディアン・モード・ベース・ラインが各小節の手前に入り、ドミナント・クウォリティを強調しています。

IコードとIVコードでのスライディング・ダブル・ストップは、Stormy Mondayの伴奏のスタンダード・フォームとなっています。これは*Allman Brothers Band*の1971年のアルバムLIVE AT THE FILLMORE EASTにおける古典的な演奏で有名になりました。1962年の*Bobby "Blue" Bland*によるさらに古い古典的ヴァージョンでは、Example 2の*Wayne Bennett*のような堂々としたスライディング・トリプル・ストップを聴くことができます。

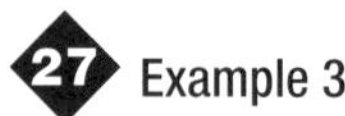

Example 3

*コード・シンボルは示唆されているコードのクオリティを反映している

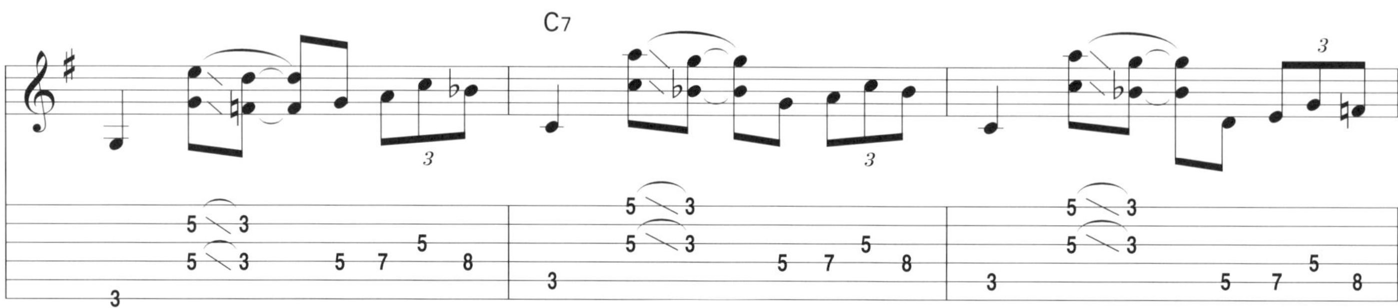

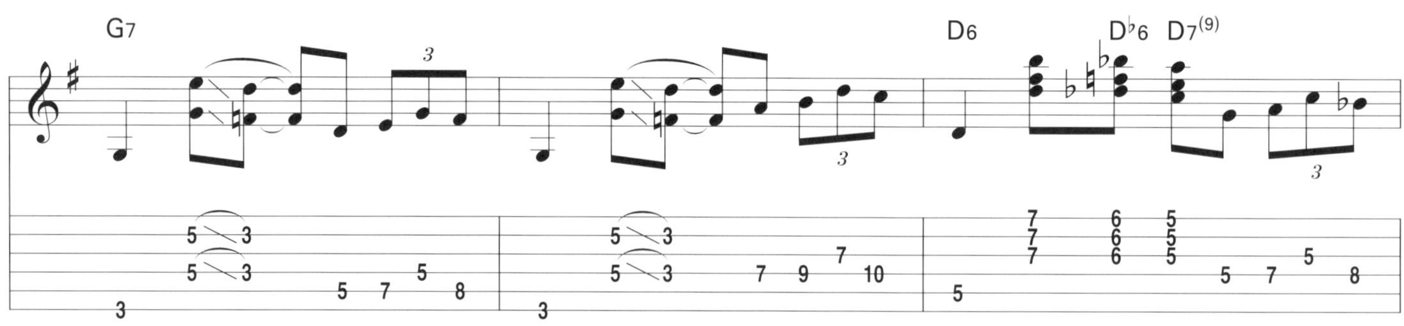

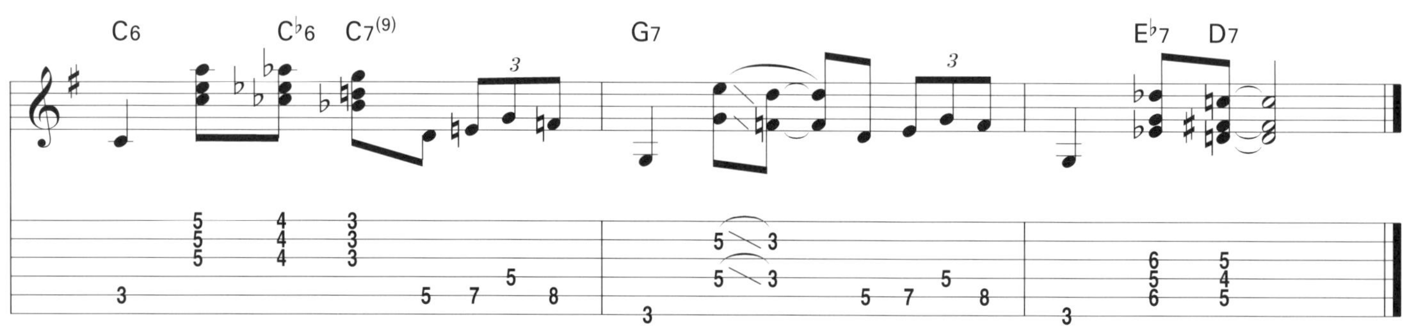

Photo: Frank Driggs Collection

*自分の音楽とショウマンシップで聴衆をとりこにする前にギブソンES-250を持ち上げリラックスする***T-Bone Walker**。

Walker のスウィングする T-Bone Shuffle が Example 4 のスロー・ブルースのインスピレーションです。I、IV、V の各コード上の簡潔な２小節フレーズは軽快で大きなノリをもっています。ハイブリッドなブルース/ミクソリディアン・スケールのフレーズは各コードのアウト・ラインを正確に打ち出し、あとに続くドミナント・コードのお膳立てをしています。ハーモニーを埋めるために、ベーシストに４分音符よりむしろ、８分音符をこのプログレッションでプレイしてもらうとよいでしょう。

ピックアップとI、IV、V コードの 2、4、6、8、10 小節めにおいてメジャー 3rd がハンマリング・オンされていることに注意しましょう。しかし、ポイントは各小節の最後の音です。すなわち、メジャー 3rd はＩコードを特定し、♭3rd はIV コードを、F の♭7th はＶコードを特定しています。これらのターゲット・ノート、またはリーディング・ノートは、習慣的に小節の最初か最後に使うのが最も効果的です。

Example 4

＊コード・シンボルは全体的なコードのクウォリティを反映している

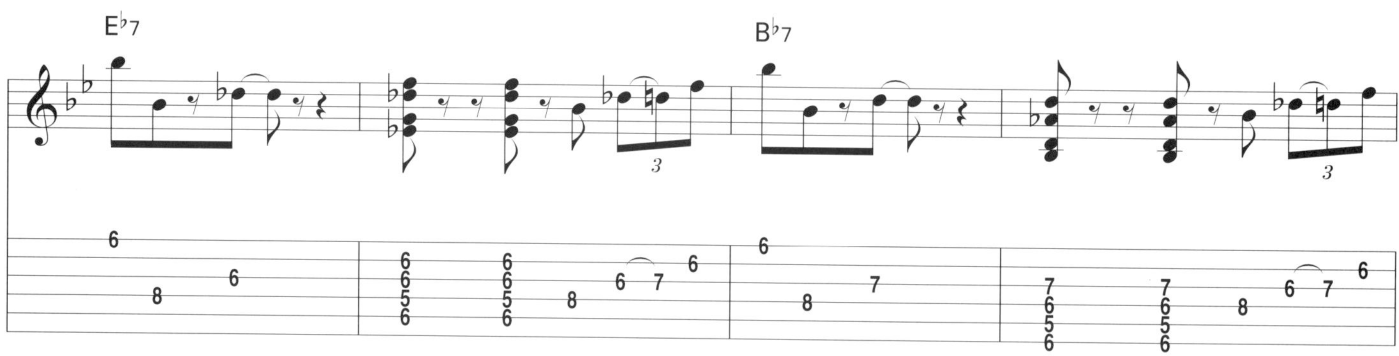

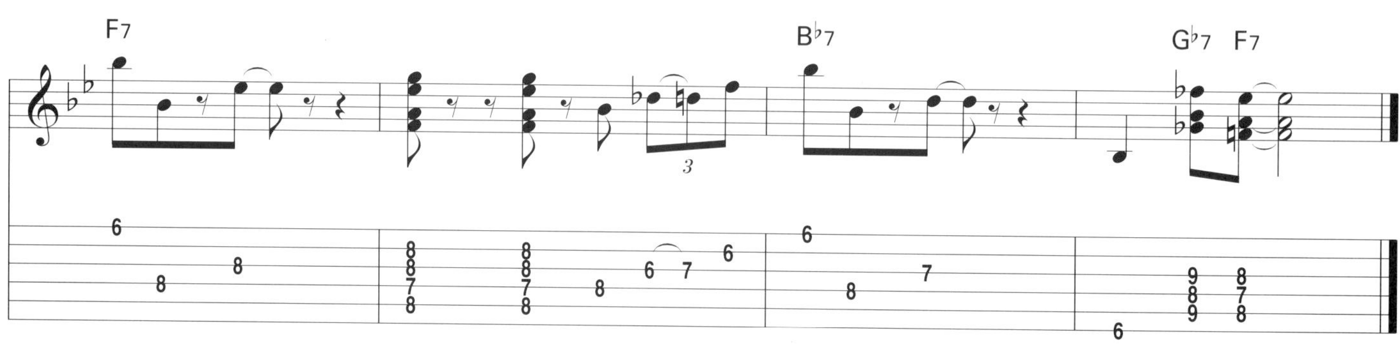

すでに述べたように、マイナー・キー・ブルースはウェスト・サイド・ブルースの重要なパートを担っていました。一方、テキサスではマイナー・ブルースが演奏されることはごく希でした。その中で、I Get Weary の *T-Bone* のイントロは例外といえます。最初の 12 小節がマイナー・キーで、その後メジャー・キーに転調しています。Example 5 はそれと同じ、暗くもの悲しい、淡々としたメランコリー・フィーリングをもっています。I コードと IV コードのマイナー・アルペジオでは、基本的なマイナー・ペンタトニックがそのまま使われています。事実、これらのパターンは 5 つすべての音を含みつつ、♭3rd と ♭7th を強調しています。その結果、マイナーでブルージーなクウォリティが強調され、さらにはジャズっぽいマイナー 7th コード・チェンジを感じさせています。

9、10 小節めは、II7 と V7 コードの輪郭を描くメジャー・スケール、またはミクソリディアン・モードのベース・ラインを含んでいます。このラインは、ブルース、ブギ・ウギ、ジャズ、そしてロカビリー・ミュージックで広く使われています。これは、ギタリストとベーシストがユニゾンでプレイするととても刺激的です。また、ベーシストがプレイするこのラインの上で II7 と V7 コードをプレイすることもでき、少し冒険したい時は V7 と IV コードをサブスティテュート(代理)として用いることもできます。よりその場の状況にあった方法を選ぶために、両方試してみるとよいでしょう。

Example 5

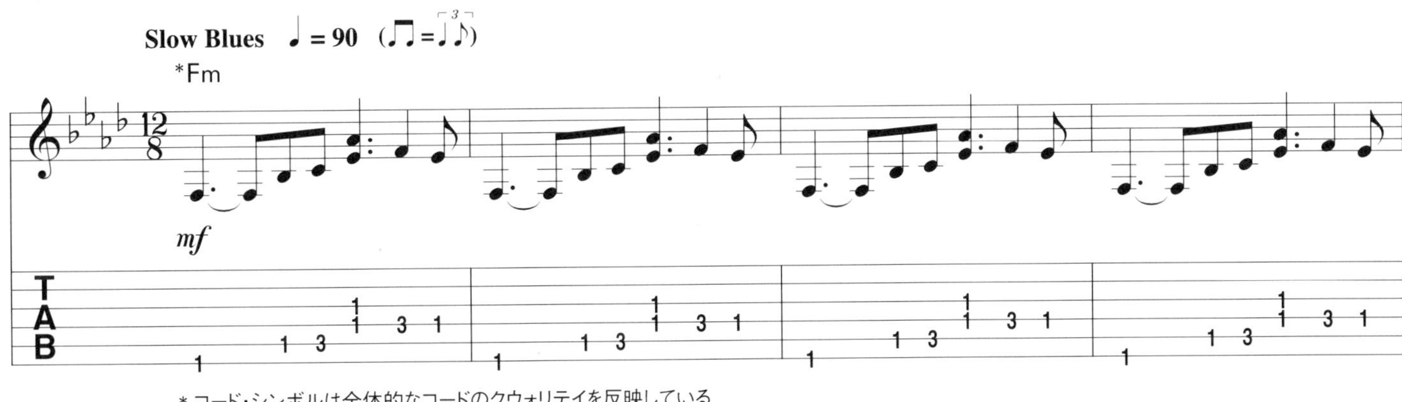

＊コード・シンボルは全体的なコードのクウォリテイを反映している

Example 6は、チャールストン・リズムを基本としています。この曲はリード・フィルを入れる練習に最適であり、あなたがコードとリックを自由に変えることができます。

Iコードと IV コードでのフィルを見ると、メジャー 3rd と♭3rd の音が不可欠であることが分かります。その他のポイントは、4 小節めの A6 から A7 への動きを示唆する 6 度のダブル・ストップ、8 小節めの 3 連符のトライアド、6 小節めのミクソリディアンを基本にした 3 連符と 10 小節めの 6th、9th コードのトリプル・ストップです。

Example 6

* コード・シンボルは全体的なコードのクウォリティを反映している

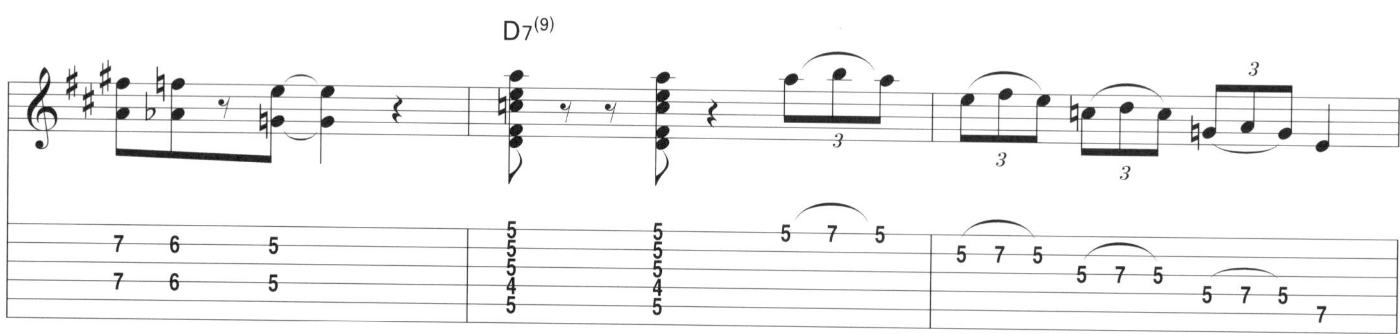

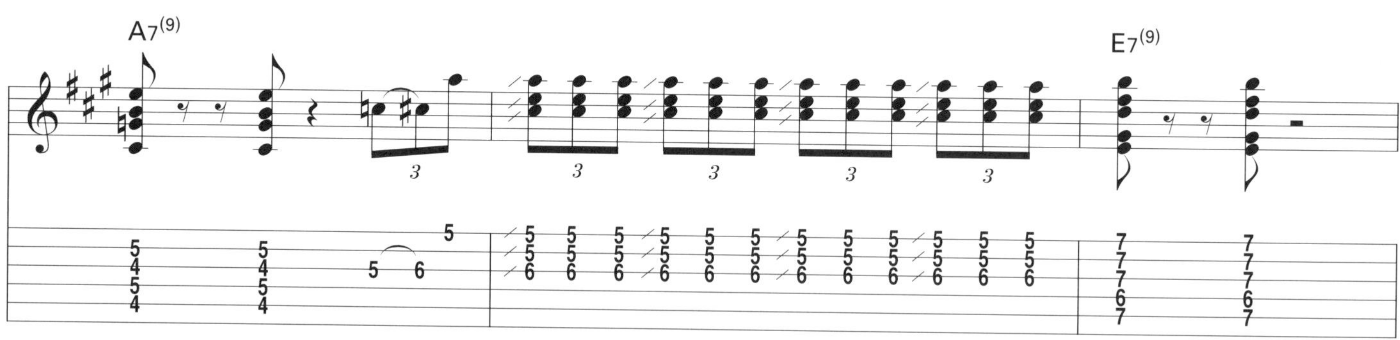

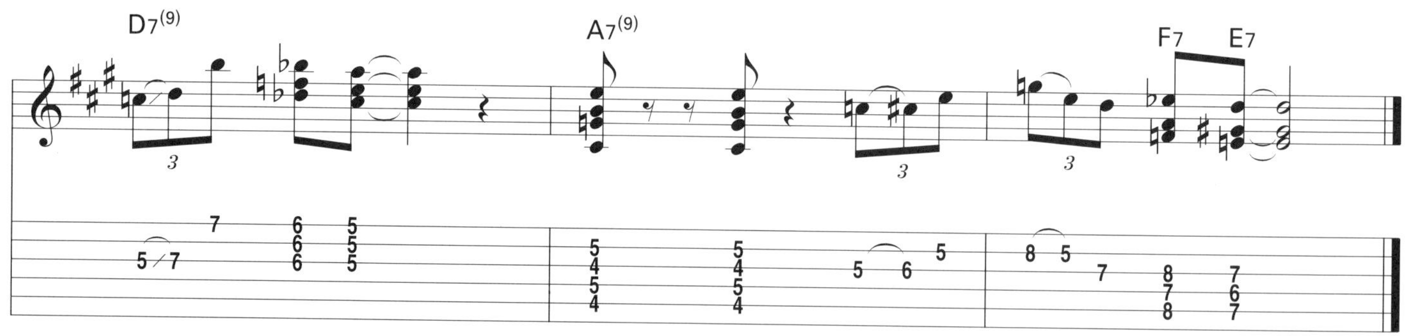

Rock Me Baby（1962）のリズムは、メンフィスの巨匠 *B.B. King* がオリジナルですが、しばしば Example 7 のようなテキサス・ブルースに採り入れられてその魅力を発揮します。しかしながら本当のことをいうと、*Lowell Fulson* の Reconsider, Baby（1954）が、おそらくこの跳ねるブルース・ビートの元祖です。また *Magic Sam* の All Your Love（1958）もこのグループに入れることができ、このことはブルースの歴史の本質である相互影響（さまざまなスタイルのブルースが互いに影響しあっていること）を実証しているといえます。

T-Bone Walker から *Freddie King*、そして *Stevie Ray Vaughan* にいたるテキサスのミュージシャンたちはスライディング 6th、9th コードとそのヴァリエーションを好んでいました。I と IV コードの小節の 3 音のベース・パターンは、6th と 9th コードの一番高い弦にあるルート→♭7th というメロディ・ノートと呼応しています。Example の 4 音のヴォイシングは、スムースで軽く歪んだチューブ・アンプの音色、そしてイーヴンでステディなストロークとともに、ハーモナイズされたホーン・セクションのようにサウンドします。ベース・ノートは親指で押さえた方がよいでしょう。12 小節めの D7(♯9)（V）コードは、古典的な戦後のテキサス・ブルースよりも少しファンキーなものになっています。

Medium Shuffle ♩ = 100

*G　G　C　C　G　G　D7　C7　G　D7(♯9)

mf

**T= 6弦を親指で押さえる

*コード・シンボルは全体的なコードのクウォリティを反映している

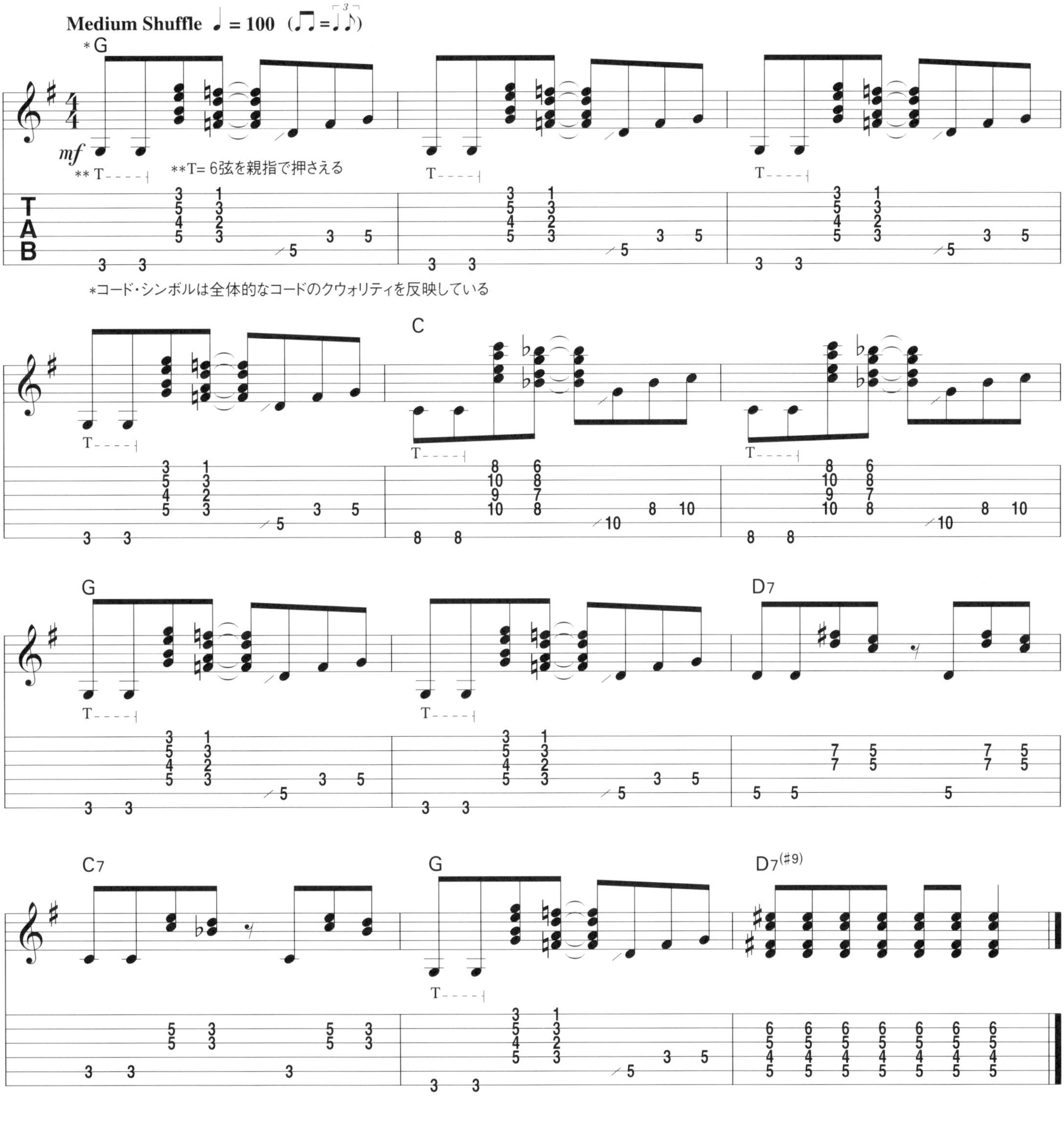

Example 8 はドライヴするカッコいい(クールな)ウォーキング・ベース・ラインに、シャッフル・プログレッションを創るハーモナイズされたコンプ・コードが加えられています。このタイプのスウィンギン・リズムのルーツは、'30 年代後半と'40 年代前半の *Count Basie* や *Louis Jordan* の華やかなダンス・ミュージックにあります。開花したのは、テキサスの巨人、*T-Bone Walker* と *Gatemouth Brown* が、'40 年代中期から後期にかけて彼らのブルース・フィーリングを加えてからのことです。止まることのない強いパワーをもった *Albert Collins*、*Cal and Clarence Green*、*Joe Hughes*、*Roy Gaines*、*Earl Bell*、*Ray Sharpe*、*ZuZu Bollin*、*Lester Willams* は、このユニークなテキサスの伝統を'50 年代以降も続けました。

1～7 小節めと 9 小節めのベース・ラインはルート、6th、♭7th、7th のスケール・ディグリーを使ったパターンであり、これはメジャー・スケールとミクソリディアン・モードのコンビネーションです。見てのとおり、すべてのコンピング・コードは 3 音のヴォイシングを使っています。8 小節めでは、G7 - A♭7 - A7 - B♭7 の半音進行が I から VI への動きを示し、B♭7 は E のトライトーン・サブスティテューション(代理)となっています。9 小節めの V コード・フレーズは、5、6 小節めの IV コード・パターンを平行移動したものです。10 小節めは V コードであるものの、I コードに解決するための半音下行する V の代理コードで装飾されています。11、12 小節めはトライトーンとクロマティックのサブスティテューションで、I - VI - II - V のターンアラウンドを示しています。

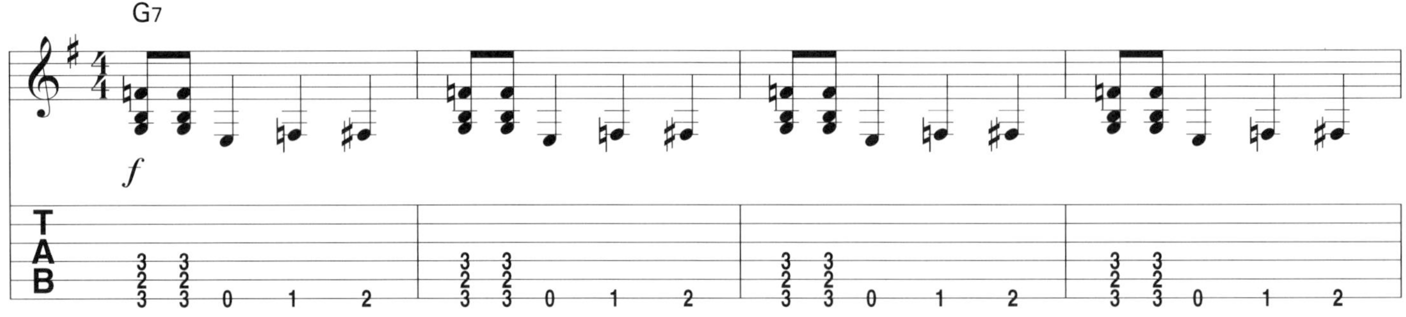

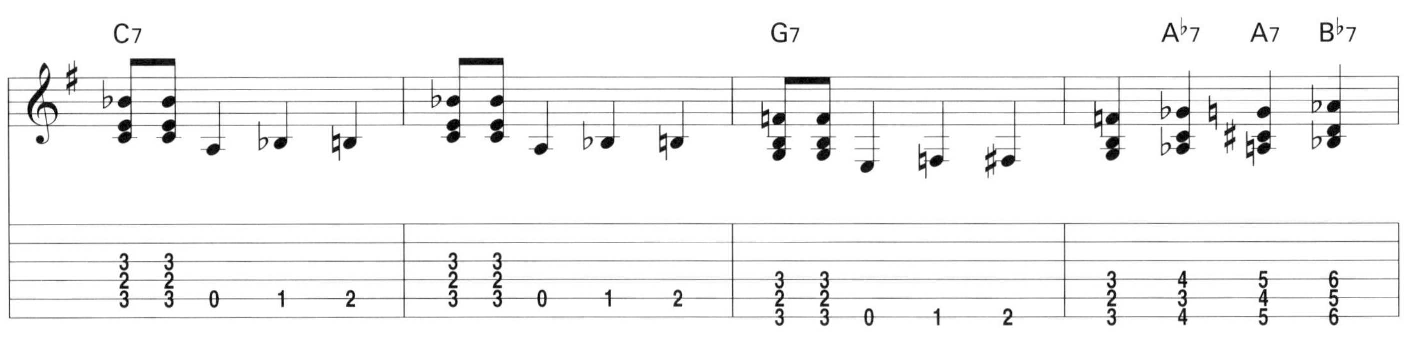

Example 9 は、Example 8 と反対のイメージであり、ベース・ラインがコードの前にあります。ライン自体は、シカゴからテキサス、ニューオリンズ、そしてメンフィスにいたるブルースとR&B に共通な、おなじみのルート、3rd、5th のメジャー・アルペジオです。

Example 全体を通して厳格なダウン、アップ・ピックでストロークを使うことを強く勧めます。それによって、スウィンギンかつ強いプログレッションの8分音符のペアにリズミックなアクセントをつけやすくなるからです。

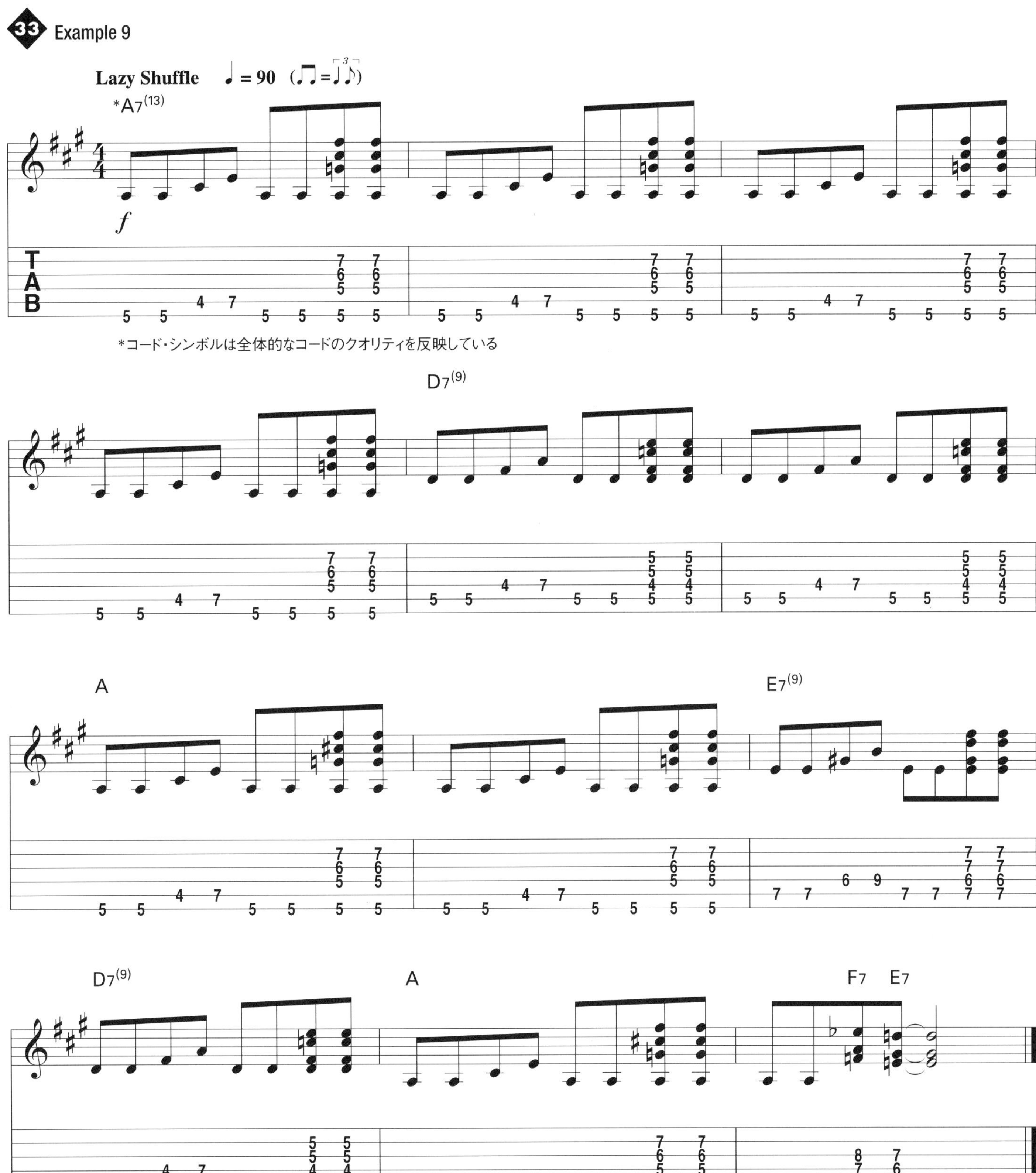

Photo: Larry Hulst/RETNA LTD

'50年代後期のギブソン・レスポール・スタンダードでブルースとロックのすばらしい伴奏をする*Kieth Richards*。

Example 10 は、アップ·ビートでメジャー·トーナリテイをもち、ブルース·ロックとロックン·ロールの前身ともいえるものです。各２小節フレーズは、I-IV の動きを示すダブル·ストップとミクソリディアン·ベース·ラインを含んでいます。

I コードの 1、3、7、11 小節めにおける I-IV の示唆は、3rd によって完成されています。５小節めの IV コードと９小節めの V コードでは、sus4 のダブル·ストップを伴った３度のダブル·ストップが使われています。

豊かなブルース·フィーリングを出すために、*Keith Richards* は *Rolling Stones* の作品において、５、９小節めの I-IV のコンセプトを創りあげました。その中でとくにすばらしい古典的ロックの名曲となったのが、Street Fighting Man，Gimme Shelter，Brown Sugar，Start Me Up です。

*コード·シンボルは全体的なコードのクウォリティを反映している

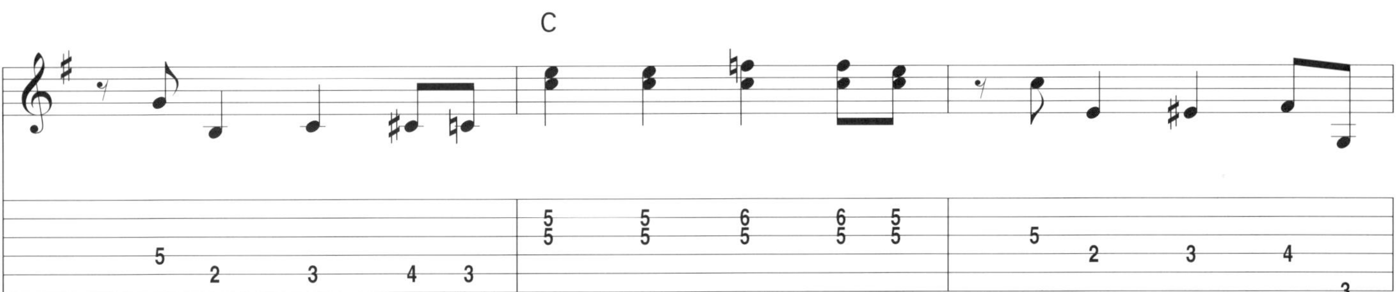

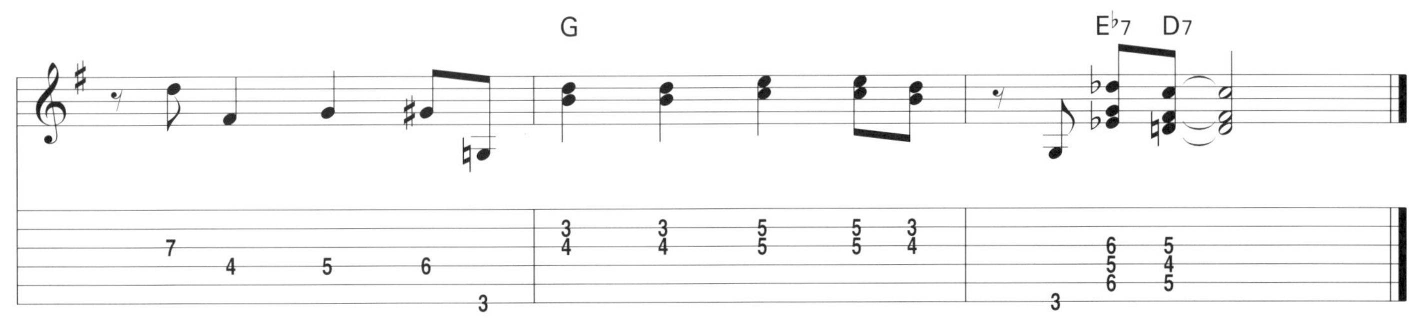

Selected Discography

推奨するブルース・レコーディング

West Side Blues

1.	*Billy Boy Arnold* I WISH YOU WOULD	Charly
2.	*Magic Sam* EASY, BABY	Charly
3.	*Magic Sam* WEST SIDE BLUES	Delmark
4.	*Magic Sam* MAGIC SAM LIVE	Delmark
5.	*Otis Rush* GROUND THE BLUES	Flyright
6.	*Buddy Guy* BUDDY GUY	Chess
7.	*Buddy Guy and Junior Wells* HOODOO MAN BLUES	Delmark
8.	*Buddy Guy and Junior Wells* IT'S MY LIFE, BABY	Vanguard
9.	*Jody Williams and Earl Hooker* THE LEADING BRAND	Red Lightnin'
10.	*Jimmy Dawkins* JIMMY "FAST FINGERS' DAWKINS	Delmark
11.	*Luther Allison* LOVE ME, MAMA	Delmark
12.	*Mighty Joe Young* BLUES WITH A TOUCH OF SOUL	Delmark
13.	*Hound Dog Taylor* HOUND DOG TAYLOR AND THE HOUSEROCKERS	Alligator
14.	*Magic Sam* GRAVEL ROAD	Blind Pig

South Side Blues

1.	*Muddy Waters* THE CHESS BOX	CH
2.	*Howlin' Wolf* THE CHESS BOX	Chess MCA
3.	*Elmore James* ELMORE JAMES AND HIS BROOMDUSTERS	Ace
4.	*Little Walter (Jacobs)* THE BEST OF LITTLE WALTER	Chess

Texas Blues

1.	*T-Bone Walker* CLASSICS OF MODERN BLUES	UA / Imperial (J)
2.	*Freddie King* FREDDY KING SINGS	Modern Blues
3.	*Freddie King* JUST PICKIN'	Modern Blues
4.	*Lightnin' Hopkins* THEHERALD RECORDS	Collectibles
5.	*Lightnin' Hopkins* HOUSTON'S KING OF THE BLUES	Blues Classics
6.	*Johnny Winter* AUSTIN, TEXAS	United Artists
7.	*ZZ Top (Billy Gibbons)* TRES HOMBRES	London
8.	*Stevie Ray Vaughan* TEXAS FLOOD	Epic
9.	*Various Artists* HOUSTON SHUFFLE	Krazy Kat
10.	*Various Artists* FORT WORTH SHUFFLE	Krazy Kat

Other Recommended Recordings

1.	*Jimi Hendrix* BLUES	MCA
2.	*Jimi Hendrix* VARIATIONS ON A THEME-RED HOUSE	Jimi Hendrix Reference Library
3.	*Various Artists* WEST COASTGUITAR GREATES	Moonshine
4.	*Various Artists* GUITAR IN MY HANDS VOL.2	Moonshine

ギターの記譜法

ギターの記譜には、**1.** 5線譜、**2.** タブ譜、**3.** スラッシュ（／）で表すリズム譜の３つの方法があります。

リズム譜
五線の上に記され、指定されたリズムで弾く。コードのヴォイシングは楽譜の最初、または最後のページにダイアグラムで表示される。また、リズム・パートにシングル・ノートを加えて弾く場合は、リズム記号の上に音名をフレットと弦の番号とともに表記することもある。

5線譜
音程と音価を表し、小節を小節線によって分割する。音程はアルファベットの最初の7文字（C、D、E、F、G、A、B）で読む。

タブ譜（TAB）
フィンガーボードを視覚的に表したもの。それぞれの音とコードは、該当する弦に記されたフレット番号で、押さえる位置を示している。

奏法上の記譜

半音ベンド
ピッキングの後、弦をベンドして半音（1フレット分）上げる。

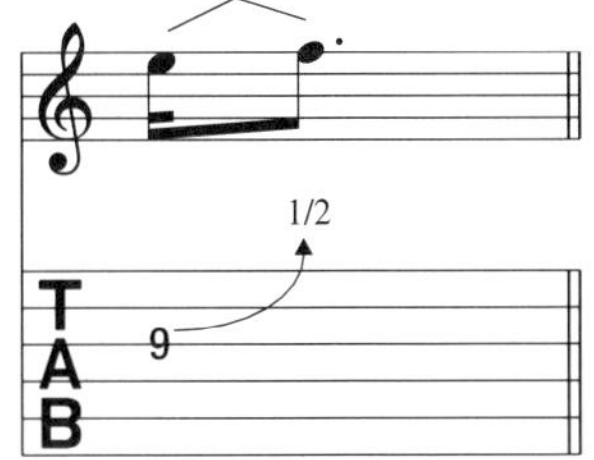

全音ベンド
ピッキングの後、弦をベンドして全音（2フレット分）上げる。

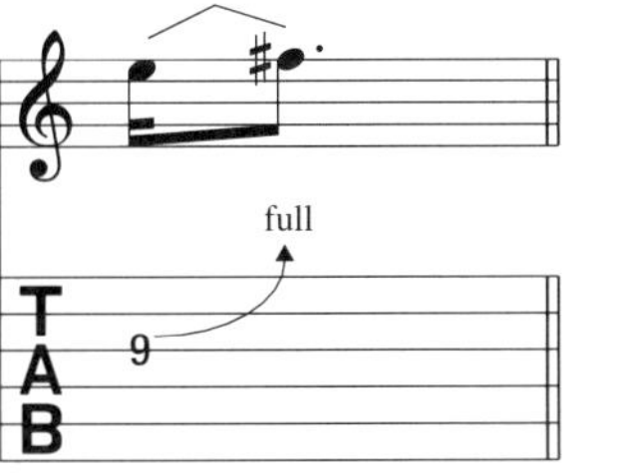

グレイス・ノート・ベンド
ピッキングの後、素早く指定された音まで弦をベンドする。

スライト・ベンド
ピッキングの後、弦をわずかにベンドして（1フレットの約半分）1/4音上げる。

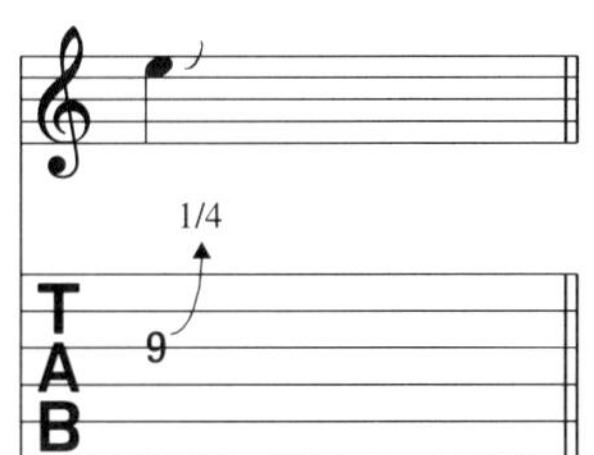

ベンド＆リリース
ピッキングの後、指定された音までベンドし、ふたたび元の音程までベンドをゆるめる。ピッキングするのは最初の音だけ。

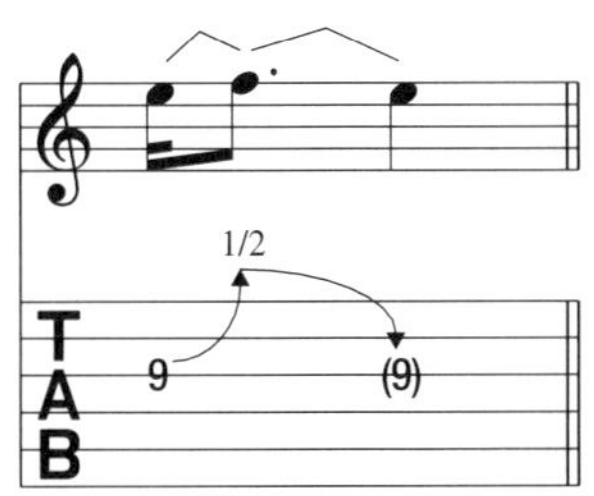
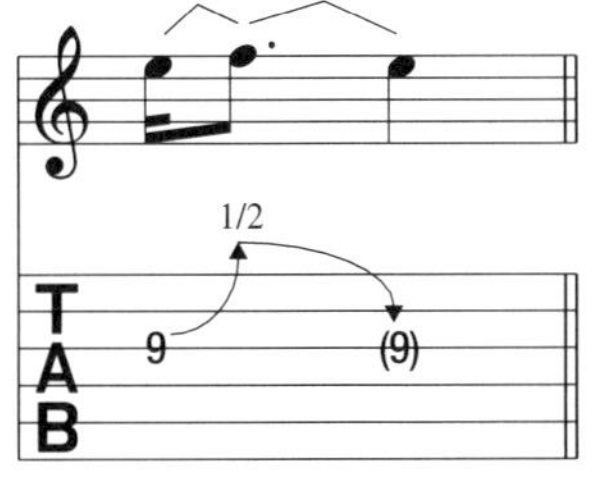

プリベンド
あらかじめ指定された音までベンドしておきピッキングする。

プリベンド＆リリース（リバース・ベンド）
指定された音までベンドしておいてからピッキングし、ベンドをゆるめて元の音程に戻す。

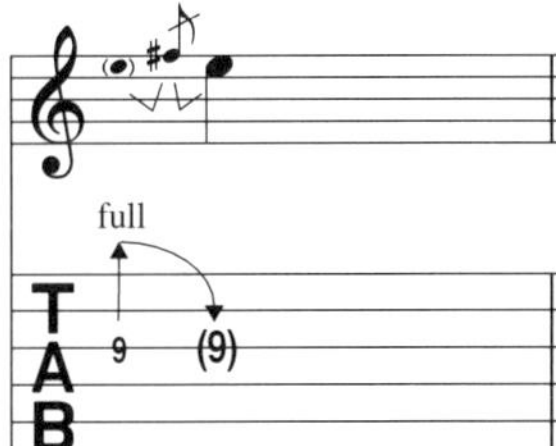
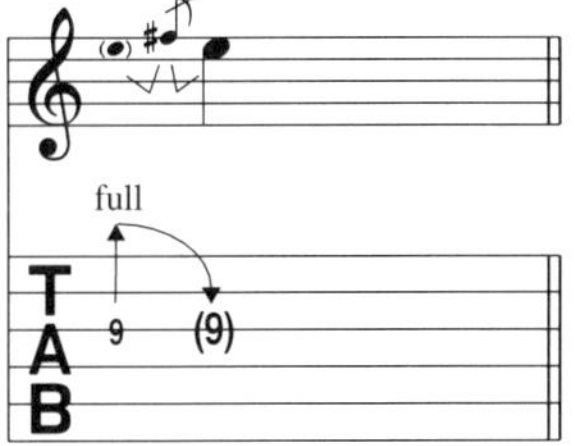

ユニゾン・ベンド
両方の音をピッキングし、素早く低い方の音を高い方の音と同じ音程になるまでベンドする。

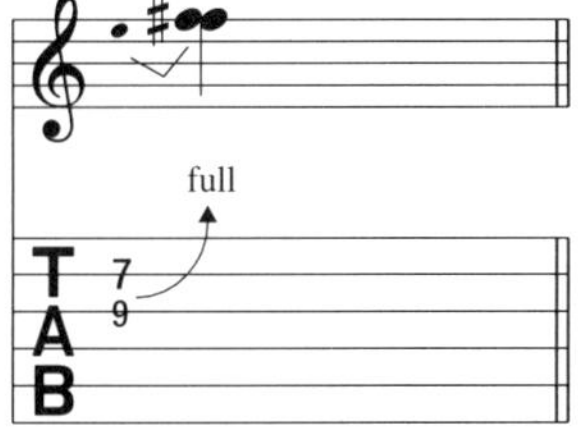

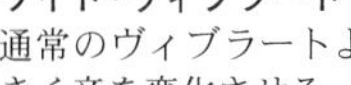

ヴィブラート
押弦している指、手首、腕などを使ってベンド＆リリースを素早くくり返して、音を揺さぶる。

ワイド・ヴィブラート
通常のヴィブラートよりも、さらに大きく音を変化させる。

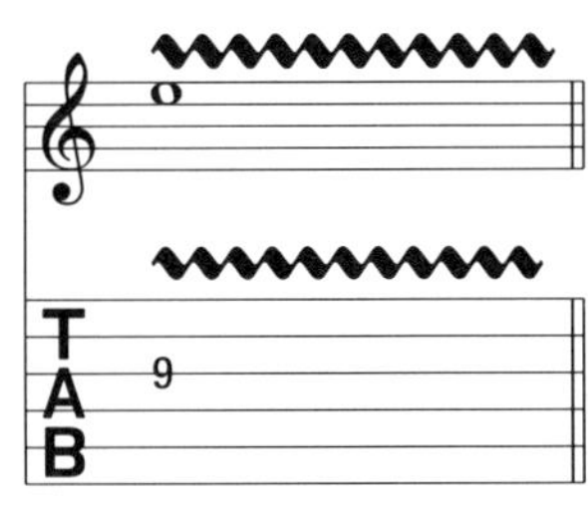

ハンマリング・オン
最初の音をピッキングした後、別の指で弦を叩くように高い方の音を出す。ピッキングするのは最初の音だけ。

プリング・オフ
最初の音をピッキングした後、別の指で下方向へ弦をひっかくようにして低い方の音を出す。ピッキングするのは最初の音だけ。

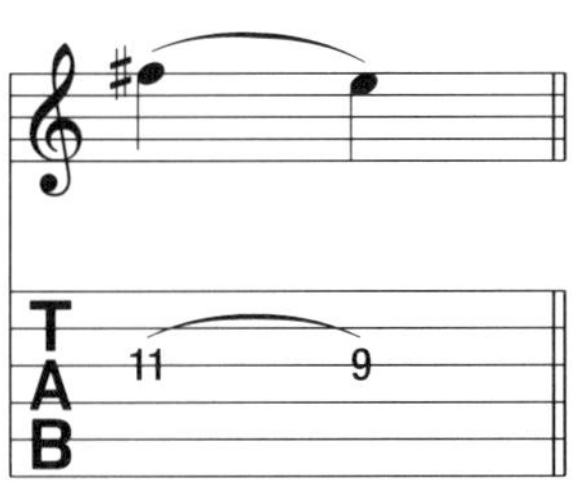

レガート・スライド
ピッキングした音から次の音まで、押さえた指を滑らせる。ピッキングするのは最初の音だけ。

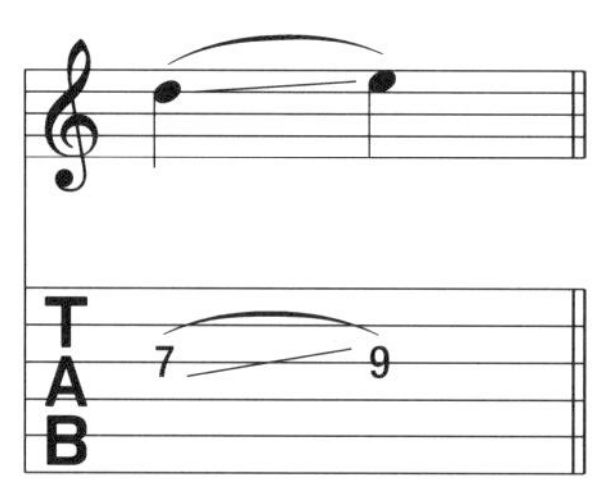

シフト・スライド
レガート・スライドと同じ方法だが、2つめの音もピッキングする。

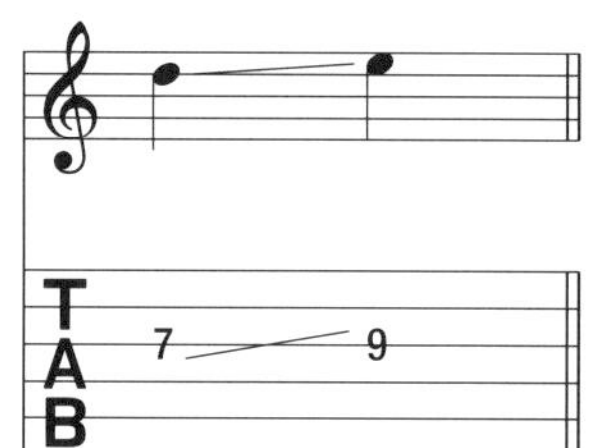

トリル
指定された音をハンマー・オンとプル・オフで、できるだけ速くくり返す。

タッピング
＋マークのついた音を右手の指で叩いて出し、フレットを押さえている音にプリング・オフする。

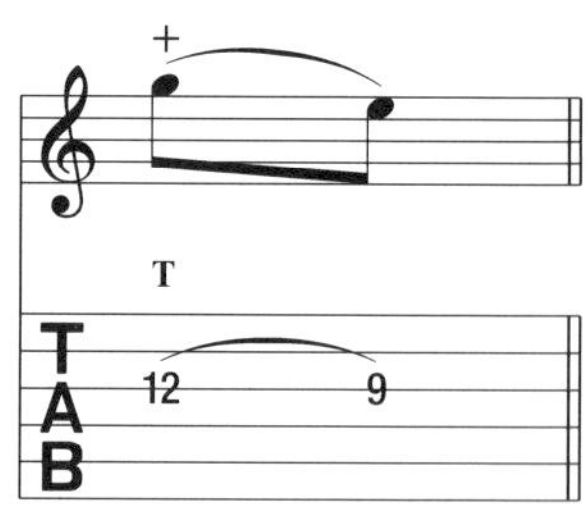

ナチュラル・ハーモニクス
タブ譜に指定された音のフレット上に指を軽くふれ、ピッキングする。

ピンチ・ハーモニクス
タブ譜に指定されたフレットを押さえ、ピックを持った手の親指の側面(または爪)または人差し指をピッキングと同時に弦にあてハーモニクスを得る。

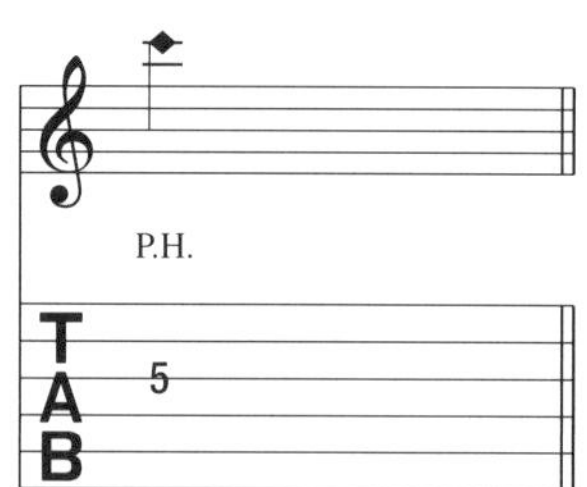

ハープ・ハーモニクス
タブ譜の最初の音を押さえ、2番めのフレット番号の位置にピッキングする手の人差し指などで軽く触れ、さらに別の指を使ってピッキングしてハーモニクスを得る。アーティフィシャル・ハーモニクスとも呼ぶ。

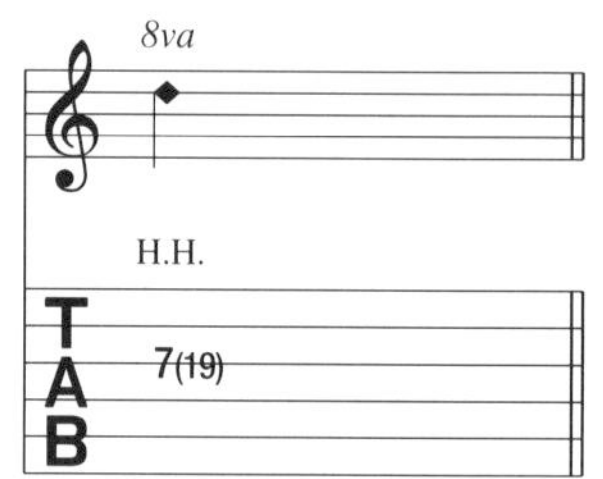

ピック・スクラッチ
ピックの側面を弦にあて、ネックを上行または下行してスクラッチ・サウンドを得る。

マッフル・ミュート
弦を押さえずに軽く触れ、指定された音域の弦をピッキングしてパーカッシヴなサウンドを得る。

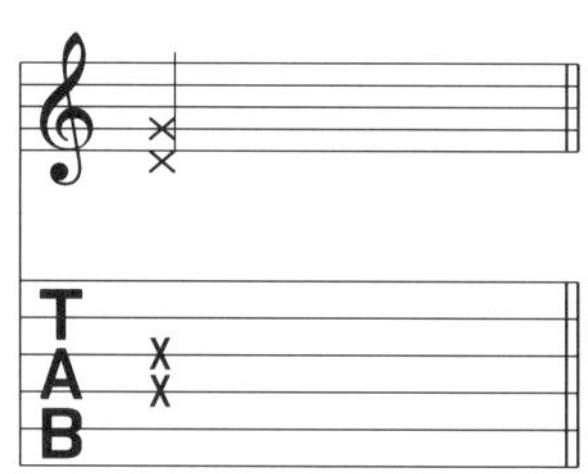

パーム・ミュート
ピックを持った掌の腹をブリッジ付近の弦に軽く触れた状態でピッキングし、弱音効果を得る。

レイク
目標とする音の前に指定された弦を音程を付けずに素早くピッキングする。音程が指定されている場合もある。

トレモロ・ピッキング
音符の長さ分だけ素早くピッキングをくり返す。

アルペジアート
指定されたコードを低い方から高い方へ弾きハープのように鳴らす。逆の場合もある。

トレモロ・バー／ダイヴ&リターン奏法
押さえた音またはコードをトレモロ・バーを使って指定されたピッチに音を変化させる。

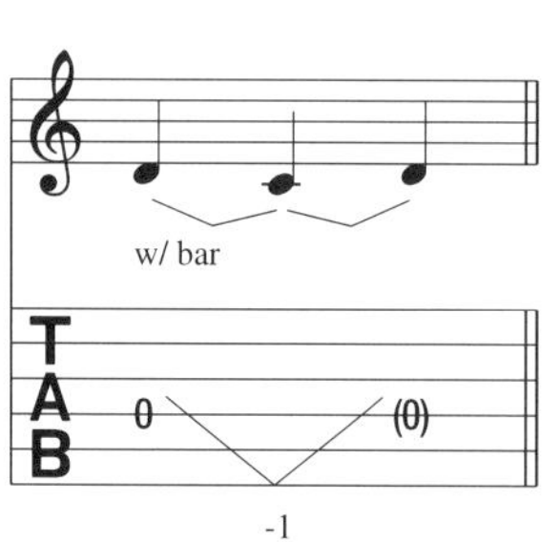

トレモロ・バー／スクープ奏法
トレモロ・バーをあらかじめ下げておいて、ピッキングと同時に素早くバーを戻す。

トレモロ・バー／ディップ奏法
ピッキングと同時にトレモロ・バーを使って指定された音程分を素早く下げすぐに戻す。

その他の記譜

(アクセント付きの音符)	**アクセント** 強く演奏する。	Rhy. Fig.	**リズム･フィギュア** おもにコードで演奏する小さな単位の伴奏パターン。
(マルカート付きの音符)	**マルカート** さらに強く演奏する。	Riff	**リフ** おもに単音で演奏するくり返しのパターン。
(スタッカート付きの音符)	**スタッカート** 音を短く切って演奏する。	Fill	**フィル** メロディーやリズムの隙間に、短いフレーズを入れること。オカズとも呼ぶ。
⊓	**ダウン･ストローク**	Rhy. Fill	**リズム･フィル** コード演奏によるフィル。
V	**アップ･ストローク**	tacet	**タチェット** 「静かに」の意味で、演奏を休止することを指示する。
D.S. al Coda	**ダル･セーニョ･アル･コーダ** 5線の下部に記され、***D.S.***の部分からセーニョ･マーク（𝄋）のある小節まで戻り、コーダ･マーク（***to*** 𝄌 または ***to Coda***）のついた小節からコーダ（𝄌 または ***Coda***）へ進む。	(リピート記号の譜例)	**リピート･マーク** リピート･マークで囲まれた小節をくり返す。
D.C. al Fine	**ダ･カーポ･アル･フィーネ** 5線の下部に記され、曲のアタマに戻り ***Fine*** で終わる。	(1. 2. カッコ付きリピート記号の譜例)	**リピート･マーク** 1回めは、1カッコを演奏し、リピートの後の2回めは1番カッコを跳ばし2番カッコへ進む。

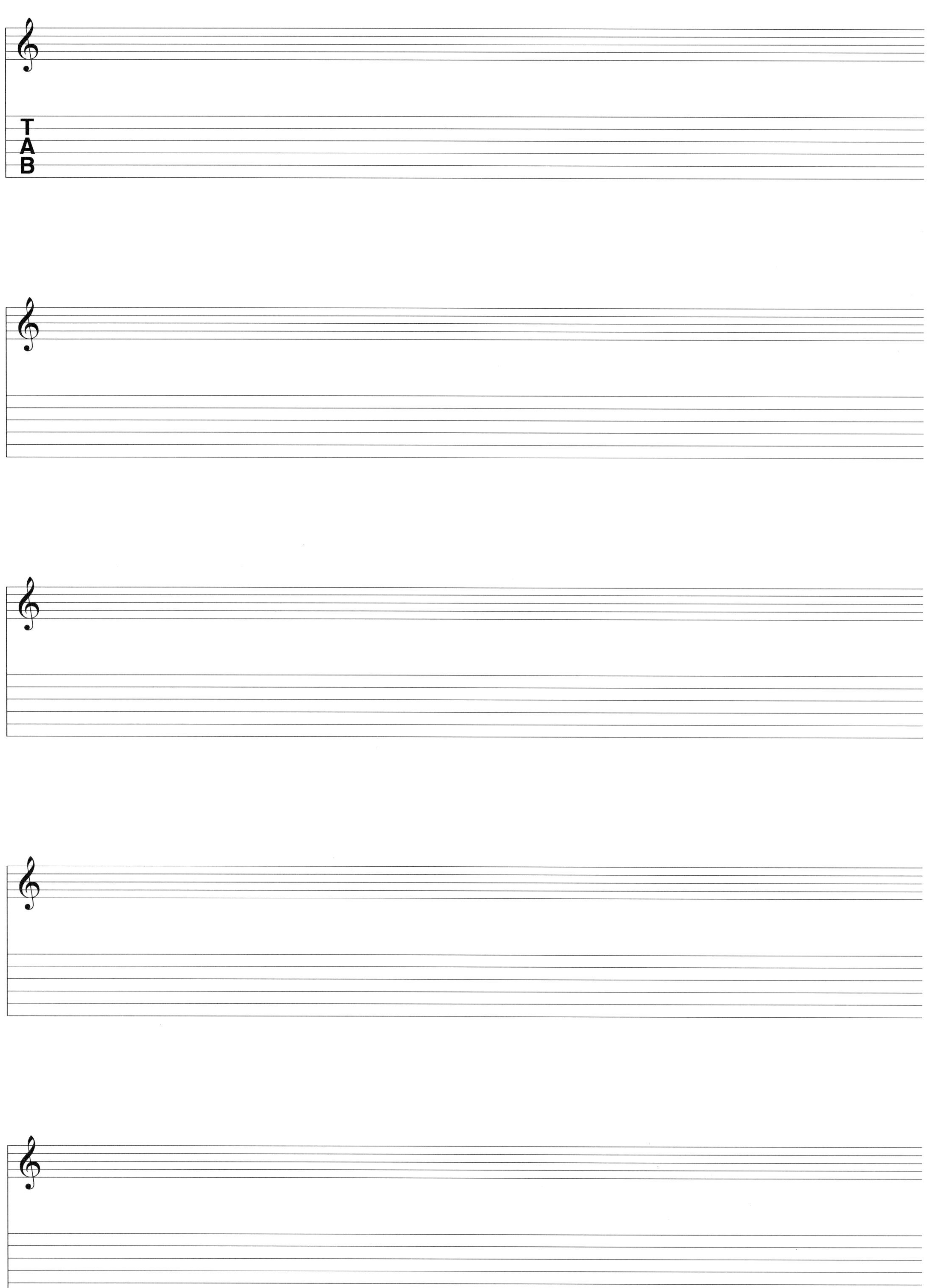
T
A
B

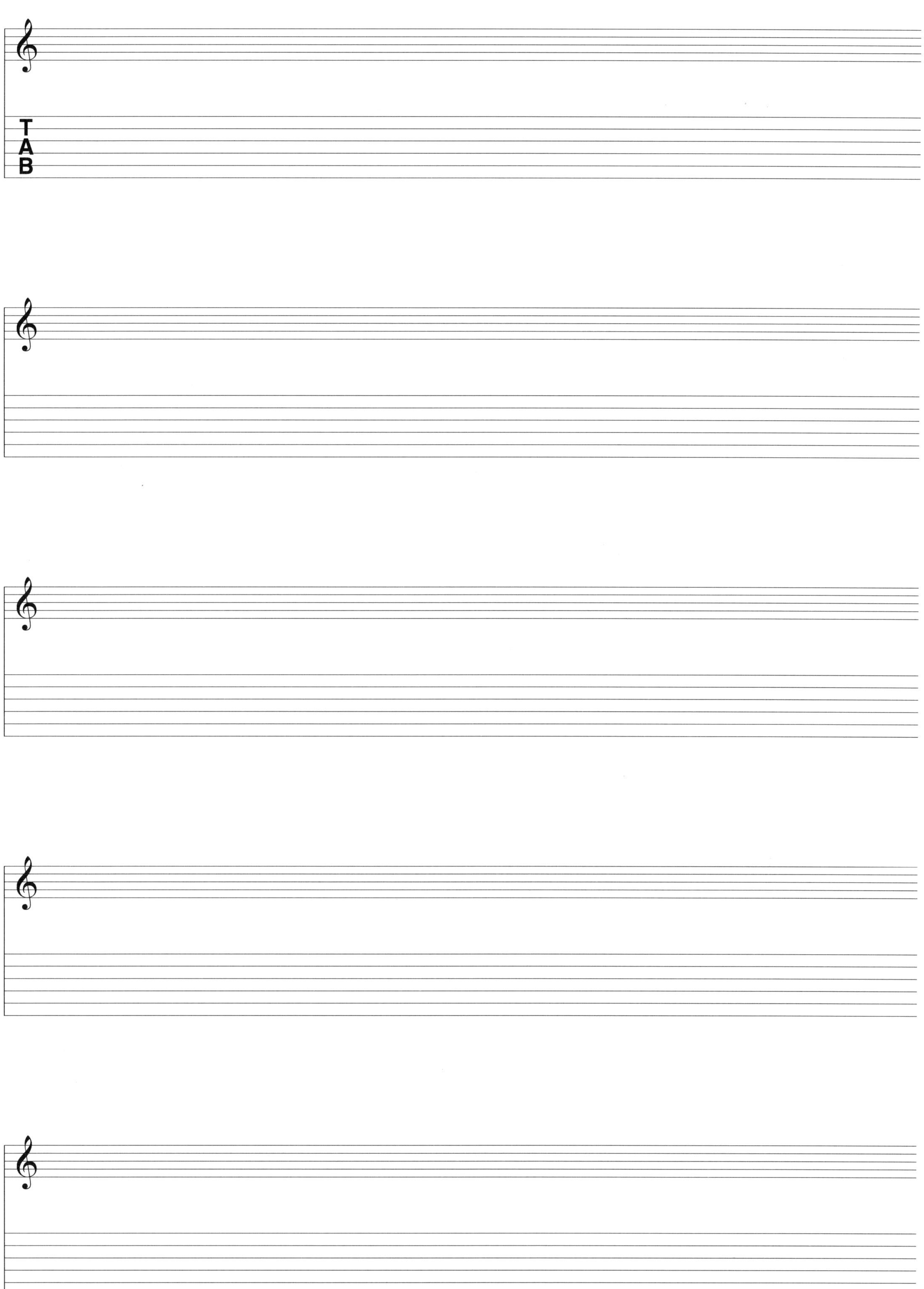
T
A
B

ブルース・ギター／スケール&コード・スタディ《CD付》

BLUES *You Can Use*

定価［本体3,300円+税］

●ブルースのフレーズを弾きながら、スケール、コード、コード進行、リズムなどのテクニックや理論を学ぶ●さまざまなスタイルのブルースが、各曲ごとに明確なテーマをもち、高品質なソロをレベル的に無理なく弾け、マスターできたときの充実感も抜群●初・中級者の独習、ギター教室での使用に最適●ここさえ押さえればばっちりという、ブルース・ギターのツボが満載

すべてのセクションに用意されているマテリアルは、1つまたは2つのキーで用意され、ほとんどがフィンガーボード全体を使った練習になっている。

付属のCDには、すべての練習曲がバンド演奏とともに収められている。練習曲によっては、ノーマル・テンポに加え、スロー・テンポのヴァージョンも収録されており、速いパッセージでも1つひとつの音がよく聴きとれるようになっている。

LESSON1：マイナー・ペンタトニック、基本的なブルース進行、基本的なブルース/ロック・スタイル／**LESSON2**：移動可能なスケールとコード／**LESSON3**：ペンタトニック・スケール・パターン、クイック・チェンジ、ブルー・ノート／**LESSON4**：パターンの連結、ルート・ムーヴメント、基本的なシャッフル・スウィング／**LESSON5**：スプレッド・リズム、ダブル・ストップ／**LESSON6**：サークル・オブ5th、基本的なデルタ・スタイル／**LESSON7**：9thコードの導入、ベンド／**LESSON8**：♯9thコード、ポジション・チェンジ／**LESSON9**：フィンガーボード全体を使ったスケールの練習、ファンキーな16分音符／**LESSON10**：広範囲なスケール演奏とオルタネート・ピッキング／**LESSON11**：スケール・セオリー、ターンアラウンド、コード/メロディー・スタイル／**LESSON12**：メジャー・ペンタトニック、マイナー・ブルース進行、マイナー・サウンドのソロ／**LESSON13**：メジャー・ペンタトニックとマイナー・ペンタトニックの組み合わせ／**LESSON14**：パッシング・コードと13thの使用、メジャー・ブルース／**LESSON15**：2本の弦の組み合わせで弾くスケール／**LESSON16**：隣り合うスケール・パターン間の移動、6度のインターヴァルを使用して部分コードを創る、基本的なR&Bゴスペル・スタイル／**LESSON17**：弦をスキップするスケール演奏、3度のインターヴァルの使用、6度のインターヴァルを使ったソロ／**LESSON18**：マイナー・スケールとコード・フォームの組み合わせ、交換できるブルース・コード進行の中のセカンダリー・コード、ブルース・ベースのハード・エッジなロック／**LESSON19**：メジャー・スケールとコード・フォームの組み合わせ、初期のロック・サウンド／**LESSON20**：スピードの加速、完全なコードの復習とその使用法、使用場所、デルタ・スタイルのトリルとくり返しパターン／**LESSON21**：スケール・パターンの使用法／フィンガーボード全体で演奏する

ブルース・ギター／リード&リズム・スタディ《CD付》

More **BLUES** *You Can Use*

定価［本体3,300円+税］

●ブルース・ギターのテクニックを完璧にマスターする究極のメソッド●本格的なブルース・フレーズ満載●スケール、アルペジオ、シングル・トーン・テクニック／コード、コード進行、リズム・ギター・スタイル／リード・ギター・スタディ

すべてのセクションに用意されているマテリアルは、1つまたは2つのキーで用意され、ほとんどがフィンガーボード全体を使った練習になっている。

付属のCDには、すべての練習曲がバンド演奏とともに収められている。左チャンネルにリード・ギターを、右チャンネルにリズム・ギターを配置し、バランス・コントロールを使うことで、プレイ・アロング（マイナス・ワン）として自由に活用できる。

LESSON1：ペンタトニック・スケール、コード・フォームの一部を使用するリズム演奏、リード・ラインに使用するコード・トーン／**LESSON2**：ブルースのラン、リズム・パートに使用するコードの一部、リード・メロディーに使用するコード・トーン／**LESSON3**：ワン・ポジションで弾くラン、6thコードと9thコードの組み合わせ、ワン・ポジションで弾くリード・ギターのラン／**LESSON4**：1本の弦と2本の弦を使用するペンタトニック・スケール、スプレッド・リズムのヴァリエーション、リード・ギター・ソロでのコードの区切り／**LESSON5**：ベンディング・テクニック、シンコペート・シャッフル・リズムと装飾コード、ジャンプ・スタイル・シャッフル／**LESSON6**：単弦のトレモロ、ペダル・トーン、弦のスキップ、マイナー・ブルース、♭VIIコードの使用、コーダ、ダブル・ストップ・ベンドとリバース・ベンド／**LESSON7**：フィンガーボード全体の3度のインターヴァル、6thコードと9thコードの組み合わせ、変化した9th、ギター・ソロでのトレモロ／**LESSON8**：フィンガーボード全体の6度のインターヴァル、ブルース・ロックのリズム・ギター・スタイル、ダブル・ストップ・トレモロ／**LESSON9**：ドミナント7thのアルペジオ、6thコードとヴォイス・リーディング、6thのインターヴァルを使用するリード・ギター・ソロ／**LESSON10**：マイナー7thのアルペジオ、ブギ・リズム、代理コードとしてのIVコード、装飾されたスプレッド・リズム、開放弦を使った演奏／**LESSON11**：左手のテクニック、スケール・トーンとアルペジオ・ノートへのクロマティック・アプローチ、セカンダリー・コード、コード・タイプの組み合わせ、ヴォイス・リーディング、コード・チェンジの演奏、アルペジオを使用するコード／**LESSON12**：上行と下行のレイキング、スペースを創るバッキングとコード・アクセント、クロマティックを使用するソロ／**LESSON13**：バタフライ・ヴィブラートとクラシック・スタイル・ヴィブラート。くり返しのリズムによる伴奏、ファンキー・リード・ソロのレイキング

ブルース・ギター／リックス《CD付》

BLUES *Licks You Can Use*

定価［本体2,800円+税］

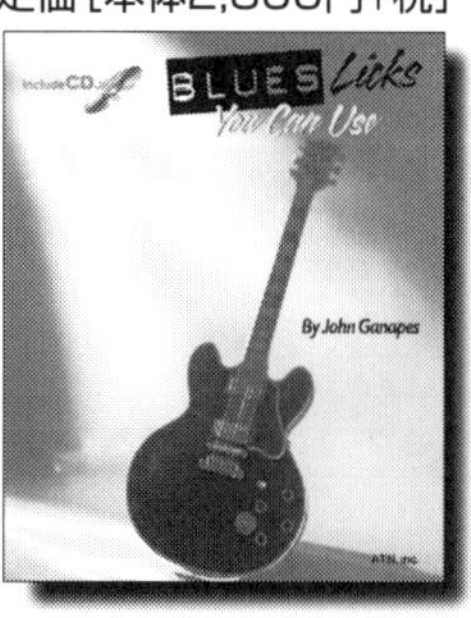

●75例におよぶ、クールなブルース・ギターのリックを掲載●付属のCDでは、各リックの模範演奏をノーマル・テンポとスロー・テンポで収録●仕上げに、掲載のリックを組み合わせたり、自分のリックを創り、アイディアを組み立てられるよう、各種の12小節ブルースのバックグラウンド（マイナス・ワン）を収録。

SECTION 1：GROOVIN' EASY～C DOMINANT 12-BAR QUICKCHANGE～スロー・ブルース／**SECTION 2**：UP-TEMPO BOUNCE～SHUFFLE PROGRESSION IN A～シャッフル・スウィング／**SECTION 3**：ROCKIN' IT UP～ROCKIN' BLUES PROGRESSION～ホット・ブルース・ロック／**SECTION 4**：A BIT OF FLASH～ANOTHER SLOW BLUES～スロー・ブルース／**SECTION 5**：A TASTE OF JAZZ～12-BAR SHUFFLE IN F～ジャズ・フィール・シャッフル

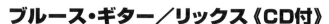

コーネル・デュプリー／リズム＆ブルースギター《CD付》

*King Curtis*のバンドを経て、何千というセッションをこなしながら、伝説のインストゥルメンタル・リズム＆ブルース〜フュージョン・バンド***STUFF***を結成し、*Eric Gale*とともに、実にクールなギターをプレイする***Cornell Dupree***

彼が歩んできた道のりを、リズム＆ブルースの変遷とともに詳細に解説。彼のセッション・ワークの数々をアーティスト別に***Cornell***自ら回想、語ってくれる。*King Curtis*、*Jimi Hendrix*、*Billy Butler*、*Big Joe Turner*、*Ray Sharpe*、*Bobby Womack*、*Sam Cooke*、*Jerry Wexler*、*Steve Cropper*、*Ike Turner*、*Eric Gale*、*James Jamerson*、*Lloyd Price*、*Wilson Picket*、*Brook Benton*、*Duan Allman*、*Freddie King*、*Joe Cocker*、*Jerry Jemmott*、*Bernard Purdie*、*Tom Jones*、*Harry Belafonte*、*Lena Horn*、*Sarah Vaughan*、*Barbra Streisand*、*Mariah Carey*。

ジャンルを越えて、今もなおひっぱりだこのセッション・ギタリスト*Cornell Dupree*が、自らプレイし解説してくれる本書は、リズム＆ブルース・ギターのスタイルとテクニックを身につけることができる最高のメソッド。

定価［本体2,800円+税］

全10曲／TAB譜付。

カウント・ベイシー・オーケストラのギタリスト **フレディ・グリーン**のコンピング・スタイルを学ぶ

フレディ・グリーン
スウィング＆ビッグ・バンド・ギター《CD付》

派手ではないけれど、バンドのリズムをガッチリとサポートする、ギター・コンピングの基本と応用を学ぶ画期的なギター・メソッドです。

3音、または4音によるシンプルなヴォイシングによる、コンピング・テクニックは、音の選択によってさまざまなカラーのヴォイシングが生まれます。

このコンピング・テクニックは、ビッグ・バンドだけでなく、デュオ、トリオ、スモール・コンボなど、どんな現場でも必要とされるスキルのひとつです。

定価［本体3,000円+税］

ファスト・トラック・シリーズ

FastTrack シリーズは、これから楽器を始めようと思っている人から、楽器を手にしてまだ間もないビギナー、押入の奥から楽器が出てきて、久しぶりにやってみようと思っているアダルトまで、ジャンルにとらわれずに楽しくマスターでき、付属のCDと一緒にバンド演奏が楽しめる入門書です。

FastTrack シリーズは、とにかく楽しく楽器を演奏したいという人に最適なメソッドです。

FastTrack シリーズの最終目標は、バンド演奏にあります。メソッドの最後には各楽器に共通の練習曲があり、仲間が集まれば、「せーの!」でバンド演奏が楽しめます。

FastTrack シリーズには、ロック、ポップスの名曲を、バンド演奏で楽しめる**Songbook**が、各楽器ごとに用意されています。それぞれの曲は、オリジナルのイメージを残しながら、やさしくアレンジされ、マイナスワンのカラオケとしても使えるので、誰でも楽しく演奏することができます。

楽器の基本から学んで、バンドで楽しもう!!
やさしいギター・レッスン／はじめの一歩《CD付》
定価［本体1,500円+税］

カッコいいテクニックを身につけ、仲間を集めてバンドを演ろう!!
やさしいギター・レッスン／バンドで演ろう《CD付》
定価［本体1,500円+税］

演奏しながらコードやスケールを楽しく学ぼう!!
やさしいギター・レッスン／コードとスケール《CD付》
定価［本体1,500円+税］

ロックやポップスの名曲を楽しく演ろう!!
各巻のレベルに対応した、併用曲集**Songbook**を手に入れよう。
詳しくは、ATNのホームページ **http://atn-inc.jp** で。

ATN, inc.

ブルース・ギター
パワー・トリオ・ブルース

Power Trio Blues
GUITAR

発　行　日　2002年 5月25日（初版）

著　　　者　Dave Rubin
翻　　　訳　石川 政実
発行・発売　株式会社 エー・ティー・エヌ

住　　　所　〒161-0033
東京都新宿区下落合 3-12-21 目白エミネンス 102
TEL 03-6908-3692 / FAX 03-6908-3694
ホーム・ページ　http://www.atn-inc.jp

3437

ISBN4-7549-3437-7